À *Justine*.
A. R.

Illustrations de Bénédicte Carraz,
Jean-Pierre Corderoc'h, Christel Desmoinaux,
Maryse Lamigeon, Valérie Michaut,
Cécile Ravault, Sophie Toussaint.

Couverture illustrée
par Frankie Merlier.

HISTOIRES À CROQUER

ANN ROCARD

Editions Lito

Lito
41, rue de Verdun 94500 Champigny-sur-Marne
Imprimé en CEE
Loi n° 49-956 du 16 juillet 1949 sur les publications destinées à la jeunesse
Dépôt légal : août 2001

Lili Touchatou et la sorcière

Lili Touchatou était une petite fille maligne, coquine … qui n'écoutait jamais ce qu'on lui disait.

Sa maman lui répétait toute la journée :

« Lili, sois polie !

Lili, mets ta main devant ta bouche quand tu tousses !

Lili, ne mange pas avec tes doigts !

Lili, ne touche pas n'importe quoi ! »

Mais rien à faire ! La petite fille faisait toujours exactement le contraire !

Une fois, il lui arriva une drôle de mésaventure !

Lili Touchatou passait quelques jours de vacances chez sa grand-mère, au bord de la mer.

C'était le printemps : le coucou était de retour, les primevères fleurissaient au pied des haies. Il faisait si beau que la petite fille décida d'aller se promener.

« Ne va pas trop loin ! conseilla sa grand-mère.

— Ne t'inquiète pas Mamie ! » répondit Lili, et elle s'éloigna.

La petite fille longea la plage déserte en sifflotant. Soudain, elle découvrit une vieille maison couverte de lierre.

Lili s'approcha et regarda par le trou de la serrure : sur des étagères, elle aperçut des flacons de toutes les couleurs, des bocaux pleins de sucettes et de bonbons.

La petite fille écarquilla les yeux :

« Incroyable ! Qui habite ici ? Un

cuisinier ou une pâtissière ? Le roi des gourmands ou la reine des épicières ? »

Attention, Lili ! Attention ! La femme qui vit ici n'est ni pâtissière, ni épicière ... Attention ! C'est une terrible sorcière !

La maison semblait vide. Sans hésiter, la petite fille essaya d'entrer ... Chic ! La porte n'était pas fermée à clef !

Quelle drôle de maison ! Des queues de crocodiles et des carapaces de tortues étaient accrochées sur les murs. La lampe ressemblait à un serpent. Une large peau de tigre servait de tapis.

Lili Touchatou n'en revenait pas !

Un peu étonnée, elle fit le tour de la pièce et s'arrêta devant les étagères. Hum ... ce flacon rouge la tentait beaucoup !

« Ce doit être du sirop de grenadine, chuchota-t-elle. J'adore ça ! » Elle en versa un peu dans un verre et l'avala.

Catastrophe ! Son corps, son visage, ses mains se couvrirent aussitôt de petits boutons rouges ... et Lili Touchatou sursauta :

« Que m'arrive-t-il ? Que se passe-t-il ? »

Affolée, la petite fille attrapa un autre flacon : ce liquide blanc était sûrement un médicament !

Elle en but quelques gouttes ... Mais catastrophe ! son nez se mit à pousser, pousser, pousser ... et il se transforma en trompe d'éléphant.

« Que m'arrive-t-il ? Que se passe-t-il ? »

Terrifiée, Lili ouvrit un bocal, rempli de petits bonbons verts et bleus, et elle en avala une poignée entière.

Catastrophe ! Ses cheveux se dressèrent sur sa tête, ses yeux gonflèrent, gonflèrent, gonflèrent ...

« Que m'arrive-t-il ? Que se passe-t-il ? »

À ce moment-là, des pas retentirent ... La porte de la maison s'ouvrit et la terrible sorcière entra dans la pièce. La petite fille se glissa sous le lit et elle resta là sans bouger.

La sorcière tapa du pied et gronda :

« Qui a touché mes flacons ? Qui a touché mes bocaux ?

Qui a goûté mes potions ? Qui a avalé mes bonbons ? »

La sorcière en colère remit tout en place et elle ricana, en montrant le mur du doigt :

« Heureusement que ce voleur ne connaît pas le produit-qui-guérit-tout ! Ah ah ah ! Il ne sait certainement pas qu'il suffit de toucher une queue de crocodile magique pour redevenir comme avant … »

Toujours cachée sous le lit, Lili avait tout entendu. Elle attendit que la sorcière se soit éloignée … et vite, elle sortit de sa cachette, elle bondit vers le mur et posa les deux mains sur une énorme queue de crocodile.

Aussitôt, les boutons rouges disparurent, son nez diminua, ses cheveux retombèrent sur sa tête et ses yeux dégonflèrent.

Sans se retourner, la petite fille se sauva par la fenêtre et elle courut, courut, courut jusqu'à la maison de sa grand-mère.

Et depuis ce jour-là, crois-moi … Lili Touchatou ne mange pas n'importe quoi !

La bulle

Quel silence ce matin ! Les fleurs, engourdies de soleil, dansent le long du mur de pierre.

Fripon, le gros chat, ronronne sur le vieux puits.

Et Valérie, une petite fille blonde, mélange un peu d'eau savonneuse dans un verre. Elle y plonge délicatement une clef et souffle brusquement : un bouquet de bulles arc-en-ciel s'éparpille de tous côtés.

« Regarde, Fripon ! dit la petite fille. Je sais faire une bulle aussi grosse que toi ! »

Un coup de griffe et PAF ! la bulle éclate.

« Et maintenant, annonce Valérie. Une bulle plus haute que moi ! »

Elle souffle doucement sur la clef et la bulle grandit … grandit … grandit … Mais soudain, elle s'incline et elle enveloppe Valérie tout entière.

« On dirait une bulle-maison, remarque la petite fille. Fripon, surtout n'y touche pas !

— Miaou … » dit le gros chat qui s'éloigne sur la pointe des pattes.

Tout à coup, la brise souffle de fleur en fleur et fait rouler l'énorme bulle sur l'herbe. À l'intérieur, Valérie glisse et se retrouve à genoux, le nez contre la paroi.

Puis soudain, la bulle s'envole, emportée par le vent.

« Au secours ! » crie la petite fille en se débattant.

Mais elle a beau donner des coups de

poing, des coups de pied contre la paroi de la bulle-maison, celle-ci se déforme un instant, puis redevient lisse et ronde.

« Au secours ! répète Valérie. Fripon, sauve-moi ! »

Sous le regard ahuri du gros chat, la bulle s'élève au-dessus des buissons, des arbres fruitiers et des toits rouges des maisons.

Maintenant, la petite fille n'ose plus bouger : si la bulle éclatait, elle tomberait de si haut qu'elle se casserait en mille morceaux …

Effrayée, Valérie respire à peine. Jusqu'où l'énorme bulle va-t-elle l'emporter ?

Une rivière serpente entre les taches

vertes et jaunes des prés. Les nuages dessinent de larges ombres sur les collines et les vallées.

Valérie finit par oublier sa peur et elle observe, émerveillée, un vol d'oies sauvages à travers les reflets arc-en-ciel de sa bulle-maison.

Tout à coup, le ciel s'assombrit et le vent devient plus violent. La bulle danse un moment sur elle-même.

Valérie ferme les yeux, elle crispe les poings et se recroqueville, immobile contre la paroi.

Au loin, des éclairs zigzaguent sans cesse et le tonnerre rugit, assourdissant.

La bulle tourbillonne toujours plus vite, toujours plus loin entre ciel et

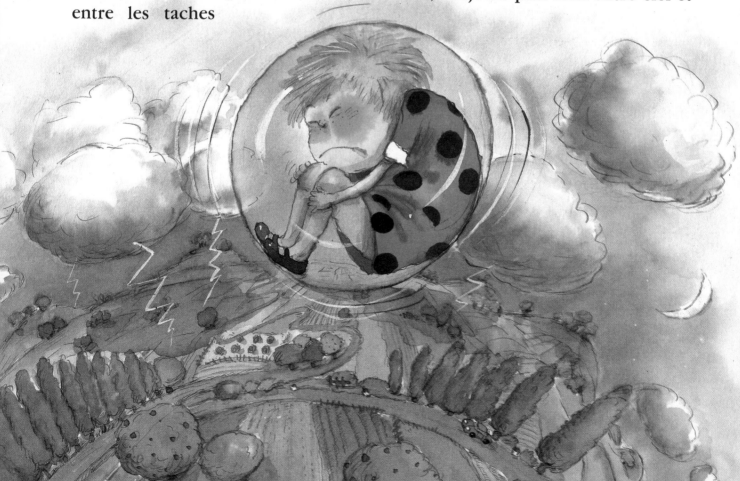

terre, disparaissant parfois au plus profond d'un nuage gris.

Enfin le bruit diminue. Le tonnerre semble plus lointain.

Valérie ouvre les yeux : l'orage s'est éloigné. Mais les champs ont disparu et elle n'aperçoit plus que la mer à perte de vue.

« La mer ? s'inquiète la petite fille. Ma maison doit être si loin que je ne la retrouverai jamais ... »

Et Valérie se met à pleurer ... Si au moins, Fripon était là, couché contre elle, il la réconforterait.

Des mouettes étonnées planent autour de la bulle. Sur la mer, un bateau de pêche tangue de vague en vague.

« Au secours ! appelle Valérie. Je suis là-haut, juste au-dessus de vous ! »

Mais les pêcheurs affairés ne l'entendent pas. À cet instant, une mouette, plus curieuse que les autres, s'approche de l'énorme bulle ; si vite que son bec heurte la paroi, si vite que la grosse bulle éclate en mille gouttelettes.

Avant d'avoir réalisé ce qui lui arrivait, Valérie se retrouve à l'eau.

« Regardez ! crie un pêcheur. Il y a une drôle de chose dans le filet !

— Ce n'est sûrement pas un poisson, remarque le capitaine. Peut-être une sirène ?

— Non ! C'est une petite fille ! Sortons-la de l'eau avant qu'elle se noie ! »

Les pêcheurs n'en reviennent pas : une petite fille en pleine mer.

Que fait-elle là ? D'où vient-elle ?

« Je vais lancer un appel radio, décide le capitaine. Ce soir, nous serons au port. D'ici là, cette fillette nous racontera peut-être ce qui lui est arrivé. »

Le soir même, les parents de Valérie, qui ont été prévenus, attendent leur petite fille sur le quai.

Valérie serre les dents : personne ne veut la croire ... Ah si Fripon savait parler, il raconterait l'histoire de la bulle géante !

Mais soudain, elle sursaute :

« Oh... Là-haut !

— Qu'y a-t-il ? demande sa maman.

— Qu'y a-t-il ? répète son papa.

— Rien... rien du tout ! »

Valérie vient d'apercevoir par la fenêtre de la voiture, une énorme bulle arc-en-ciel... mais heureusement, le chat Fripon n'est pas assis dedans !

La sorcière Bistokère

Ce matin, Petit-Pierre s'en va à l'école. En chemin, il grimpe au sommet du gros poirier pour y manger une poire. À ce moment-là, une voix retentit :

« Petit-Pierre ! Petit-Pierre ! C'est moi Bistokère !

Descends de ton arbre et donne-moi une poire entière ! »

Mais Petit-Pierre sait bien que la sorcière veut le croquer tout cru.

Alors il détache une poire et il la lui jette sur la tête.

La sorcière plisse les yeux et elle dit une deuxième fois :

« Petit-Pierre ! Petit-Pierre ! C'est moi Bistokère !

Descends de ton arbre et donne-moi une poire entière ! »

Le petit garçon cueille une deuxième poire et il la lance sur les pieds de l'affreuse sorcière.

Bistokère grince des dents et elle répète d'une grosse voix :

« Descends de ton arbre et donne-moi une poire entière !

Gare à toi : si tu n'obéis pas, je vais grimper au sommet du poirier ! »

Petit-Pierre hésite un instant, puis il saute de l'arbre et il tend une poire à la sorcière.

Celle-ci ouvre son sac et elle y fourre, d'un seul coup, le fruit et le petit garçon. Zip ! Elle ferme le sac avec une corde et elle le met sur son épaule. Voilà Petit-Pierre bien attrapé !

Mais en chemin, Bistokère s'assied pour se reposer un peu. Pendant ce temps, Petit-Pierre se libère et il dépose un énorme caillou à sa place au fond du sac.

Quand la sorcière reprend sa route, elle transpire à grosses gouttes et elle grogne :

« Ce gamin est aussi lourd qu'une vraie pierre ! »

Arrivée chez elle, Bistokère allume un feu sous une marmite remplie d'eau. Elle prend son sac, sans regarder ce qu'il contient, et elle jette dans la marmite … l'énorme caillou. PLAF ! L'eau bouillante jaillit de tous les côtés.

« Ouille ouille ouille ! hurle la sorcière. Je me suis brûlé les pieds ! Ouille ouille ouille ! Petit-Pierre s'est transformé en rocher ! »

Le lendemain, Bistokère décide de se venger. Elle retourne sous le poirier et elle appelle Petit-Pierre :

« Descends de ton arbre et donne-moi une poire entière !

— Pas question ! dit le petit garçon. Je n'ai pas envie que tu m'attrapes comme hier.

— Je ne le ferai plus jamais, parole de sorcière ! » promet Bistokère.

Mais dès que Petit-Pierre pose le pied à terre, l'affreuse sorcière le saisit par le bras et elle le jette dans son grand sac.

Bistokère a mal aux pieds, elle avance à pas lents et un peu plus loin, elle s'assied quelques instants au bord du chemin. Le petit garçon en profite pour s'échapper et il met à sa place au fond du sac, le gros chien du fermier.

Quand la sorcière reprend sa route, le sac bouge sans arrêt.

« Arrête de gigoter ! » gronde la sorcière qui entrouvre le sac pour donner une fessée à son prisonnier.

Hop ! Le gros chien bondit et il se précipite sur Bistokère.

« Au secours ! À moi ! gémit-elle en se sauvant. Au secours ! Il m'a mordu le derrière ! »

Le troisième jour, l'affreuse Bistokère attrape de nouveau Petit-Pierre. Cette fois-ci, elle ne lâche pas le sac

une seule seconde, elle ne se repose pas en route. Elle va droit chez elle, malgré ses pieds bandés et son derrière couvert de pansements.

Arrivée dans sa maison, elle veut jeter son prisonnier dans la grande marmite ... Mais Petit-Pierre lui échappe. Il empile deux tabourets sur une chaise. Il met le tout sur la table et il grimpe au-dessus de la cheminée.

« Je peux en faire autant ! » grimace la sorcière.

Elle escalade la pyramide ... mais tout à coup, elle perd l'équilibre et elle tombe la tête la première dans le feu, où elle disparaît à tout jamais.

Depuis ce jour, on peut grimper au sommet du poirier, sans risquer de rencontrer la terrible Bistokère ... Parole de sorcière !

Le petit prince Chocolat

Au pays de Grobonbon vit un prince si gourmand que ses parents, le roi Cœur et la reine Pique, l'ont appelé CHOCOLAT.

Chocolat, quel drôle de nom pour un petit garçon. Pourquoi pas Pamplemousse ou Cornichon ?

Chocolat est si gourmand qu'il mange beaucoup trop de bonbons, de gâteaux et de sucettes, de glaces à la noisette.

Il en mange tellement qu'il devient un peu plus rond, un peu plus gros, chaque jour. Au bout d'un an, Chocolat est devenu aussi rond qu'un ballon.

Quand il se regarde dans une glace, ce n'est plus un petit garçon qu'il aperçoit … mais un vrai ballon tout rond, un ballon avec des cheveux, une bouche, un nez, deux yeux.

Un ballon avec des jambes et des bras, mais un ballon tout rond qui ne ressemble pas à un petit garçon.

À l'école, on rigole :

« Un ballon, c'est fait pour jouer !

— Un ballon, c'est fait pour shooter !

— Un ballon, ça peut s'envoler ! »

Mais Chocolat n'écoute pas. Il continue de grignoter des bonbons et des nougats, des cacahuètes, des raisins secs, des amandes, des pruneaux, des montagnes de gâteaux !

Le roi Cœur et la reine Pique commencent à s'inquiéter :

« Ça ne peut plus durer !

— Comment soigner Chocolat ? »

Alors ils décident de faire venir tous les médecins du royaume de Grobonbon.

Théophile Chouette, le premier docteur, ajuste ses lunettes et regarde dans son grand livre :

« Hum Baba … Ah voilà ! Ballon, voyons … Il n'y a qu'une solution : il faut le piquer pour le dégonfler !

— Quoi ? s'écrie Chocolat horrifié. Me piquer ? Vraiment, ça ne va pas ! »

Et il court se cacher au fond du grenier.

Désiré Claquette, le second docteur, réfléchit, réfléchit en secouant la tête :

« Hum … Baba. Ballon tout rond. Il n'y a qu'une solution : il faut le faire rouler, rouler tellement vite qu'il redeviendra un vrai petit garçon !

— Quoi ? hurle Chocolat. Rouler comme un ballon ? On pourrait aussi jouer au foot avec moi. Vraiment, ça ne va pas ! »

Et il court se cacher sous le grand escalier.

Gaston Pipette, le troisième docteur, plisse le nez, se frotte la moustache en tapotant du pied :

« Hum … Baba. Baba au rhum … Rond rond comme un ballon. Il n'y a qu'une solution : il faut le fouetter toute la journée et lui chatouiller la plante des pieds. Ce gamin maigrira !

— Quoi ? s'énerve Chocolat. Vraiment, ça ne va pas. J'en ai assez de ces docteurs-là, des Chouette, Claquette, Pipette ... ou Bicyclette ! »

Vite, il court se cacher au milieu du grand bois.

« Reviens Chocolat ! appelle le roi Cœur en agitant les bras.

— Reviens Chocolat ! » répète la reine en criant à perdre haleine.

Mais le petit prince en colère ne les écoute pas. Il s'enfuit dans la forêt. Et le voilà qui grimpe, de plus en plus haut, sur un immense bouleau.

Il traverse un nuage gris, puis un nuage blanc. Là-bas, le château est devenu si petit qu'on dirait une fourmi.

« Bonjour Chocolat, dit un oiseau multicolore.

— Bonjour drôle d'oiseau, répond poliment Chocolat. Tu connais mon nom ?

— Bien sûr, je vole souvent tout près du château. Où t'en vas-tu petit prince ? »

Chocolat se rappelle qu'il est en colère. Il fronce les sourcils et il explique :

« Tout là-haut ! Je ne veux plus rester sur la terre.

— Près du soleil ? s'étonne l'oiseau. Mais il y fait beaucoup trop chaud ! »

Chocolat hausse les épaules et continue de grimper. Il ne voit plus le palais, mais simplement un petit ruban bleu qui frétille entre les champs verts.

Le petit garçon hésite un peu : le roi Cœur et la reine Pique doivent l'attendre ... Va-t-il redescendre ?

« Non ! Je vais grimper jusqu'au soleil. J'attraperai des étoiles et je m'en ferai un collier ! »

Mais il fait si chaud, tout là-haut, qu'en se rapprochant du soleil, Chocolat devient moins rond : il fond, il fond ... Ce n'est plus un ballon tout rond, tout rond ... mais un vrai petit garçon !

Le bouleau, secoué par le vent, se balance d'un côté, de l'autre, et Chocolat commence à avoir le vertige :

« Oh là là … Je voudrais retourner sur la terre …

— Ce n'est pas difficile ! dit l'oiseau, qui vient d'arriver. Fabrique un parachute avec un morceau de nuage et bon voyage ! »

Peu après, le petit garçon saute dans le vide.

« Je t'accompagne ! » propose le drôle d'oiseau.

Sur la terre, des tas de petits points courent dans tous les sens. Des points qui grossissent et deviennent les habitants du pays de Grobonbon.

Le docteur Chouette a perdu ses lunettes.

Le docteur Claquette danse à cloche-pied.

Le docteur Pipette s'est enrhumé.

« Il n'est plus rond comme un ballon ! s'écrient les trois docteurs surpris.

— Ohé, Chocolat ! dit le roi Cœur en agitant les bras.

— Ohé, Chocolat ! » répète la reine en criant à perdre haleine.

Tout le pays de Grobonbon est en fête :

« Hourra pour le petit prince ! Hourra ! Vive Chocolat ! »

Le roi Cœur joue de la trompette. La reine Pique chante DO RÉ MI FA SOL LA SI DO en l'accompagnant au piano !

Et Chocolat n'oublie pas son nouvel ami, le drôle d'oiseau, qu'il a rencontré tout là-haut, à la cime du bouleau.

Les Gumolos et les Cous-verts

Derrière la barrière de bois se trouve un grand pré qu'on appelle le vieux potager. Autrefois, les villageois y faisaient pousser leurs légumes.

Si l'on s'approche des buissons, on découvre un château de pierres sèches : c'est là que vivent les Gumolos avec le roi Nanas et la reine Courgette.

Sur les remparts du château, les gardes Carotti, Carotto, Tomati et Tomato font les cent pas.

Chapo le melon-jardinier arrose ses fleurs.

Monsieur Chou le savant observe le ciel et Pô l'avocat répète sans arrêt :

« Par tous les noyaux de la terre … La guerre, encore la guerre, toujours la guerre ! »

Seul dans son coin, un petit pois a l'air inquiet : c'est Pic, le fils du cuisinier. Il en a assez de vivre dans ce grand château, sans oser se promener dans le pré. Il en a assez des cris et des batailles …

Car depuis sa naissance, la guerre n'a pas cessé : la Grande Guerre des Gumolos et des Cous-verts.

Tout le monde tremble quand Hachoir, le chef des Cous-verts, traverse le vieux potager avec sa compagnie de Pique-assiettes en furie.

« Tous des brigands ! crie le roi Nanas.

— Des bandits de grand chemin ! »

ajoute le garde Tomato, rouge de colère.

Cette guerre dure depuis toujours … On raconte qu'elle a commencé le soir où l'arrière-arrière-arrière-grand-père du roi Nanas s'est moqué de la moustache de l'arrière-arrière-arrière-grand-père du chef Hachoir …

Vraiment quelle histoire !
Depuis ce jour-là, quand un Cou-vert rencontre un Gumolo, ce ne sont que cris et injures :

« Ah ! Vieux couteau rouillé !

— Oh ! Sale pomme pourrie ! »

Les Gumolos tendent des pièges aux Cuillères qui glissent alors dans le fossé … Les Fourchettes piquent le derrière des gardes ahuris … Les Couteaux ne rêvent que de couper, tailler et taillader … C'est une véritable calamité !

Pourtant monsieur Chou, le savant, prétend que cette terrible guerre s'arrêtera un jour …

Hélas, aujourd'hui la bataille fait rage au milieu du vieux potager. Pic, lui, préfère s'éloigner. Il se glisse entre les hautes herbes et s'approche de la barrière.

« Tiens, il y a déjà quelqu'un … » s'étonne-t-il.

Une petite cuillère est assise au milieu des boutons-d'or.

« Que fais-tu là ? demande Pic de mauvaise humeur.

— J'attends la fin du combat. Oh ! Mais tu es un terrible Gumolo ! sursaute la petite cuillère.

— Et toi, un horrible Cou-vert ! s'écrie Pic. Catastrophe ! Je suis en plein territoire ennemi !

— Aïe aïe aïe, gémit la cuillère. Me voilà prisonnière … »

Le petit pois et la mini-cuillère se regardent surpris, puis ils éclatent de rire.

« Je m'appelle Pic et je ne suis pas

si terrible que ça, dit le petit pois.

— Moi je m'appelle Line, dit la cuillère. Et je déteste la guerre.

— Moi aussi ! » approuve Pic avec un sourire.

À partir de ce jour-là, Pic et Line se retrouvent chaque matin à l'orée du bois.

Ils explorent les vieux troncs creux, ils s'allongent sur la mousse. Ils découvrent même une cachette secrète au fond d'un nid douillet.

Et souvent, ils réfléchissent très fort : comment arrêter cette guerre idiote ? Parler au roi Nanas et au chef Hachoir ? Ils ne voudront même pas écouter … Interroger le savant Chou ?

Pourquoi pas …

Un matin de printemps, les deux amis se glissent de buisson en buisson, quand soudain des cris retentissent près de la rivière.

Pic et Line s'élancent aussitôt et que voient-ils ? Tout le clan des Cous-verts dans une barque.

« À l'attaque ! À l'attaque ! crie Melle, la pelle à tarte.

— À l'attaque ! » répètent les couteaux aiguisés.

Au bord de la rivière, les Gumolos tremblent de la tête aux pieds.

Mais la barque est trouée.

Bloup bloup bloup … Elle s'enfonce peu à peu dans l'eau.

« Au secours ! hurlent les Cous-verts. On ne sait pas nager !

— Bravo bravo ! Coulez bien ! » applaudissent les Gumolos.

Alors la petite cuillère attrape une liane solide et elle entraîne Pic. Tous deux sautent sur une branche morte qui flotte sur la rivière.

« Aide-moi à ramer ! ordonne Line. Plus vite ! Plus vite ! »

Un à un, les Cous-verts s'accrochent à la liane et ils grimpent tous sur la grosse branche.

Ça alors … Ils n'en reviennent pas :

« Un Gumolo ! Un petit pois riquiqui vient de nous sauver la vie ! »

Peu après, les Cous-verts sains et saufs mettent le pied sur la rive. Les deux clans ennemis se regardent, l'œil mauvais. Que vont-ils donc faire ?

Tout à coup, le roi Nanas éclate de rire.

« Pourquoi ris-tu ? » grogne le chef Hachoir.

Hilare, le roi Nanas s'approche de son adversaire :

« Sais-tu pourquoi la guerre a commencé ?

— Pour une moustache, répond Hachoir. Mais il y a belle lurette que les Cous-Verts n'ont plus de moustache …

« — Alors, faisons la paix, propose la reine Courgette.

— Bien dit ! » approuve Melle, la pelle à tarte.

Bras dessus, bras dessous, les Gumolos et les Cous-verts se dirigent aussitôt vers le château de pierres sèches.

Et pendant que les anciens ennemis dansent et rient, Pic le petit pois et Line la mini-cuillère s'éloignent sans bruit vers leur cachette secrète.

Le savant Chou avait raison : la guerre finirait un jour par une fête !

Mon poisson rouge, nommé Pir-à-na !

Aujourd'hui, ma marraine Blanche passe la journée à la maison. Elle m'a apporté un superbe paquet tout rond, un cadeau très fragile.

Avec précaution, j'enlève le papier ... Et qu'est-ce que je vois à l'intérieur ? Un poisson rouge dans un bocal !

Je saute au cou de ma marraine. Il y a si longtemps que je voulais avoir un animal à la maison, mais mes parents n'étaient pas d'accord.

Là, ils ne pourront pas dire non !

« Je vais l'appeler Pir-à-na !

— Pourquoi ? s'étonne Blanche.

— En Amérique du Sud, les piranhas sont des poissons qui mangent même les hommes ! Le mien est sûrement leur cousin. »

Ma mère et Blanche éclatent de rire, mais je m'en moque. Je suis presque sûr que mon poisson s'est maquillé pour voyager plus facilement et qu'il s'agit d'un terrible piranha, venu tout droit d'Amazonie.

Après le déjeuner, j'installe le bocal dans ma chambre :

« Ça va Pir-à-na ? Tu as assez de lumière ? »

Mon poisson tourne une fois sur la droite, puis deux fois sur la gauche : ça veut dire non ! Je comprends le langage des poissons évidemment : une petite bulle, suivie d'une grosse bulle, c'est « bonjour ! ». Une grosse bulle puis une petite bulle, c'est « bonsoir ! ».

Pas compliqué ! Il suffisait d'y penser !

Je transporte le bocal d'un côté, de l'autre … Mais Pir-à-na n'est jamais content. Moi, je commence à m'énerver :

« Tu aurais dû rester en Amérique du Sud, poisson de malheur ! »

Soudain, j'ai une idée. J'abandonne le bocal et je descends au pied de l'immeuble chercher tout ce qu'il me faut.

Je bricole un peu, sans faire de bruit, pendant que Blanche et ma mère discutent dans la cuisine.

Ça y est : ma surprise est terminée ! Je peux enfin installer mon petit poisson dans sa nouvelle maison.

« Tu es content maintenant, Pir-à-na ? »

Un tour à gauche puis deux tours à droite : ça veut dire « oui ! ».

Youpi !

Tout à coup, des cris retentissent dans l'appartement :

« Qu'est-ce que c'est que ça ? gronde ma mère. Blanche, viens voir dans la salle de bains ! »

Aïe aïe aïe … Je parie que ma mère va trouver que j'ai eu une mauvaise idée !

Pourtant, mon poisson a besoin de beaucoup d'eau pour nager.

Furieuse, ma mère gesticule dans tous les sens :

« La baignoire est pleine d'eau, d'herbe et de cailloux !

— Le poisson rouge a l'air heureux, remarque Blanche.

— Il n'y a pas de quoi rire ! » crie ma mère en colère.

Que va-t-il donc se passer ?

Eh bien, ce qui devait arriver est arrivé ! Il a fallu que je remette ce pauvre Pir-à-na dans son aquarium. Il avait l'air tout triste. Je suis sûr qu'il a versé des larmes de crocodile … de quoi faire déborder l'aquarium !

Ensuite, j'ai dû redescendre l'herbe et les cailloux. Si j'avais su, je ne me serais pas donné autant de mal … Et puis, j'ai dû laver la baignoire et la salle de bains.

Plus tard, j'aurai une baignoire-spéciale-aquarium avec des poissons de toutes les couleurs dedans. Même des crabes, des crevettes et des raies électriques ! Je suis sûr que ma femme sera très contente !

La journée est terminée. Avant de s'en aller, ma marraine vient m'embrasser et elle me chuchote à l'oreille :

« J'ai sans doute eu une mauvaise idée … La prochaine fois, je t'apporterai un autre animal, qui ne vit pas dans l'eau. D'accord ?

— D'accord ! »

Alors, ce soir, avant de m'endormir, je repense à la promesse de Blanche. Elle me donnera peut-être un

éléphant ? Non, il ne pourrait pas monter l'escalier de l'immeuble. Un lion pour que mon frère arrête de me commander ? Une girafe pour franchir les murs plus facilement ? Ou bien un perroquet ?

Oh oui, un perroquet : quelle bonne idée ! Je lui apprendrai à parler, à dire des mots terribles et à me souffler mes récitations derrière la fenêtre de l'école … Comme ça, je serai toujours le premier !

La famille Poisson-d'avril

La famille Poisson-d'avril vit dans le grand lac Ornichon, juste derrière les rochers bleu et vert.

Dans la famille Poisson-d'avril, il y a Émile, le père, un énorme poisson qui se met souvent en colère.

Eugénie, la mère, qui a de longs cils, ce qui est plutôt rare chez les poissons.

Les deux jumeaux Gloup et Glop qui se ressemblent comme deux gouttes d'eau.

Et le cousin Bil, le poisson aux gros sourcils, qui est le plus farceur, le plus polisson !

Durant l'année, la famille Poisson-d'avril se fait aussi discrète que possible. Elle se cache derrière les rochers du lac Ornichon, sans la moindre bulle, sans le moindre bruit.

Mais quand arrive la fin du mois de mars, le cousin Bil fronce ses gros sourcils :

« Mes nageoires me chatouillent, mes écailles me grattouillent...

— Nous aussi ! Nous aussi ! répètent les deux jumeaux.

— J'ai les yeux comme une grenouille, ajoute Émile le père. J'ai envie de bouger, j'ai envie de sauter...

— Nous aussi ! Nous aussi ! » répètent les jumeaux.

Alors Eugénie se met à rire et elle montre le calendrier suspendu à un rocher :

« Évidemment ! Demain, c'est le 1er avril ! »

Le mois d'avril ENFIN ! Le mois d'avril : le seul mois de l'année pendant lequel toute la famille peut s'amuser !

Et les cinq poissons se mettent à danser, lançant mille bulles vers la surface du lac.

Le lendemain, la famille Poisson-d'avril sort de sa cachette. Le père nage en tête, suivi d'Eugénie, des jumeaux et du cousin Bil.

Où vont-ils ? Chut... Poisson d'avril !

Sur les rives du lac Ornichon, les pêcheurs s'installent : ils déposent leurs paniers, ils préparent leurs cannes à pêche. La canne, le fil de nylon, l'asticot accroché au bout de l'hameçon ! Et ils se frottent les mains en pensant à la bonne journée qu'ils vont passer.

Bonne ? Peut-être pas si bonne que ça... car une file de poissons s'approche lentement.

Émile a mis sa paire de lunettes-anti-pièges : il peut voir tous les hameçons cachés dans les asticots, il peut apercevoir les pêcheurs assis au bord de l'eau.

« On y va ? s'impatiente le cousin Bil.

— On y va ! » approuve Émile.

Aussitôt la famille Poisson-d'avril s'éparpille.

ZIP ! ZIP ! Gloup et Glop bondissent à la surface de l'eau.

« J'ai vu un poisson volant ! » dit Gros-Pierre, un pêcheur.

Le cousin Bil fait un triple saut périlleux et il attrape au passage trois asticots dans un panier, posé au bord de l'eau.

« J'ai vu un poisson voleur ! » hurle Grand-Paul, un autre pêcheur.

Eugénie s'approche doucement d'un hameçon. Elle décroche délicatement l'asticot et le remplace par un soulier, un vieux soulier troué qu'elle a trouvé au fond du lac.

« Ça y est ! s'écrie Gros-Pierre. J'ai pêché un superbe poisson ! »

Il remonte sa ligne avec précaution. Et que découvre-t-il ?

« Une chaussure, bien sûr ! » se moque Grand-Paul qui éclate de rire.

Émile pirouette au-dessus du chapeau de Gros-Pierre. Les jumeaux éclaboussent ses lunettes. Le cousin Bil frôle la moustache de Grand-Paul ahuri pendant qu'Eugénie chantonne au bord de l'eau :

J'ai vu un pêcheur volant,
j'ai vu un poisson voleur !
J'ai vu un poisson pêchant
un affreux petit pêcheur !
Il fronçait ses gros sourcils :
c'était un poisson d'avril !

Alors Gros-Pierre et Grand-Paul désespérés rangent leurs asticots, leurs hameçons, leur fil de nylon et leurs cannes à pêche.

Et ils retournent chez eux en gémissant :

« En avril, si tu pêches, c'est sans un fil ! En mai, fais ce qu'il te plaît ! »

Les cinq poissons ravis tourbillonnent à la surface du lac Ornichon.

Vont-ils aussi rentrer dans leur abri de rochers ?

Mais non ! Leurs nageoires les chatouillent, leurs écailles les grattouillent, ils ont les yeux comme des grenouilles, ils ont envie de bouger, de sauter ...

Alors ils s'approchent de deux autres pêcheurs : Gros-Jean et Grand-Luc. Émile les observe grâce à ses lunettes-anti-pièges. Eugénie se met à chanter. Gloup et Glop prennent leur élan. Le cousin Bil fronce ses gros sourcils.

Où vont-ils ? Que font-ils ?
Poisson d'avril !

La pomme

« Qu'est-ce que c'est que ça ? » se demande Gaston Oursenpluche, le petit ours aux yeux ronds.

Au milieu du champ des Mille-fleurs, Gaston vient d'apercevoir une pomme !

Pas une petite pomme qu'on peut croquer à pleines dents ! Pas une petite pomme qu'on tient entre ses deux pattes ! Non, une énorme pomme plus haute que lui !

« Nom d'un petit bonhomme ! » s'écrie Gaston surpris.

Il s'approche, un peu inquiet... Non, la pomme ne bouge pas.

Il en fait le tour : hum, la pomme sent bon l'automne !

Puis il tapote contre la pomme en criant :

« Ohé ! Y a quelqu'un là-dedans ?

— Un peu moins de bruit, je vous prie... ronchonne une voix. Je voudrais dormir tranquille. »

L'ourson sursaute : ça alors ! La pomme est habitée !

En effet, un volet s'entrouvre et lentement, très lentement, un petit ver doré se glisse par la fenêtre.

« Bonjour ! dit poliment Gaston.

— Bonjour ! bâille le petit ver. Aïe aïe aïe ! Cet accident m'a fatigué...

— Quel accident ? s'étonne l'ourson.

— Ma pomme est tombée cette nuit sans prévenir », explique le ver.

Gaston regarde de tous les côtés : pas le moindre pommier !

Et le ver se met à rire :

« Ne cherche pas ! Je suis tombé du ciel, évidemment.

— Pas possible ! » s'exclame l'ourson.

Le ver doré fait signe à Gaston d'approcher et il se présente :

« Je suis le ver Micelle.

— Moi je m'appelle Gaston Oursenpluche. »

Puis le ver ajoute à voix basse :

« Là-haut, au-dessus des nuages, se trouve Pommeville. Parfois, quand il pleut, deux ou trois pommes géantes glissent entre les nuages et dégringolent sur la terre... Drôle de vie pour un petit ver ! »

Les rayons de soleil dansent sur l'énorme pomme rouge et le ver Micelle raconte à Gaston la vie des vers de Pommeville.

« Si tu m'aides à y retourner, dit le ver doré, je t'y inviterai. »

« Nom d'un petit bonhomme, pourquoi pas ? » pense l'ourson.

Alors le ver Micelle tend trois pépins à Gaston :

« Plante ces pépins dans la terre. Arrose-les chaque matin. La plus haute tige te conduira à Pommeville. Sur ce, bonsoir ! » dit le ver en refermant son volet.

Le lendemain, Gaston Oursenpluche plante soigneusement les trois

pépins de pomme. Chaque matin, il arrose la terre avec précaution.

Une semaine plus tard, trois petites tiges sortent lentement de terre.

« Ver Micelle ! Ver Micelle ! appelle l'ourson ravi. Ça y est : regarde les trois mini-pommiers ! »

Mais le ver doré reste dans sa pomme, volet fermé.

Les trois tiges grandissent, grandissent et se balancent dans le vent.

La première est toute petite et n'a qu'une feuille.

La deuxième est déjà plus grande avec ses six feuilles.

Quant à la troisième, elle est devenue si haute, là-haut dans le ciel, si haute qu'elle se perd dans les nuages.

Vite, Gaston Oursenpluche court prévenir le ver doré. Mais dans la pomme : plus personne ! Le ver Micelle a disparu !

« Tant pis ! J'y vais tout seul ! » décide le petit ourson.

Hop ! Gaston s'élance sur la tige. Il grimpe aussi vite qu'il peut. Des papillons bleus, rouges et jaunes zigzaguent pour l'accompagner.

Et le petit ourson grimpe toujours plus haut. Il ne voit déjà plus le champ des Millefleurs. Il traverse les nuages, aussi doux que du coton, puis soudain il s'écrie :

41

« Pommeville ! Le ver Micelle n'avait pas menti !

— Reste poli, je t'en prie ! » dit une voix.

Qui a parlé ? Le ver doré bien sûr ! Le ver doré qui est déjà là, allongé sur un nuage.

« Je me repose, explique-t-il. Car j'ai grimpé toute la nuit sans m'arrêter. »

Pommeville ! Nom d'un petit bonhomme ! Il y a des pommes de tous les côtés : des vertes et des pas mûres, des rouges, des jaunes, des brunes !

Et pour accueillir Gaston Oursenpluche, les petits vers ouvrent leurs volets et ils entonnent leur refrain préféré :

Pomme de reinette et pomme d'api,
tapis tapis rouge !
Pomme de reinette et pomme d'api,
tapis tapis gris !

C'est ainsi que Gaston Oursenpluche passa une semaine entière à Pommeville, la ville des petits vers.

Quand il redescendit sur la terre, la grande tige était presque fanée, mais il gardait au fond de sa poche quelques pépins de pomme, des pépins magiques, qui lui permettraient de rejoindre un jour le petit ver doré.

Le carnaval de l'ogre

Potofeu était un ogre terrible : dodu, ventru, joufflu ... avec des oreilles en feuilles de chou et un gros nez en patate.

Il avait toujours faim.

Il dévorait tout ce qu'il trouvait sur son chemin : les parents, les enfants, les animaux domestiques et les bêtes sauvages.

Dès son réveil, il répétait :

« J'ai faim, j'ai soif, je veux manger ! Qu'on m'apporte mon petit déjeuner au lit ! »

Aussitôt sa femme Tartopomme lui apportait un seau rempli de café bouillant et elle lui disait :

« Quand tu auras fini de boire, tu pourras sortir de la maison.

— Tu as senti la chair fraîche au-dehors ? demandait Potofeu.

— Plutôt deux fois qu'une ! » répondait Tartopomme.

Alors l'ogre avalait son café. HOP ! Il sautait hors de son lit. Il enfilait son caleçon à fleurs et ses chaussures de tennis. HOP ! Il bondissait à l'extérieur de la maison ... Gare à ceux qu'il trouverait sur sa route !

Aujourd'hui Potofeu se réveilla de très bonne humeur. Comme chaque matin, il appela sa femme l'ogresse :

« J'ai faim, j'ai soif, je veux manger ! Qu'on m'apporte mon petit déjeuner au lit ! »

Aussitôt Tartopomme lui apporta un seau rempli de café bouillant mais elle n'ajouta rien.

Potofeu la regarda, un peu inquiet :

« Tu as senti la chair fraîche au-dehors ? » demanda-t-il.

L'ogresse secoua la tête ; elle n'avait rien senti du tout : pas le moindre parent ! Pas le moindre enfant ! Ni animal domestique ni bête sauvage ! Aux alentours, il n'y avait pas un seul chat !

L'ogre grinça des dents : il avait faim ! Il avait toujours faim ! Il se tourna vers sa femme :

« Dis donc, Tartopomme ! Si tu n'as rien senti, c'est peut-être simplement parce que tu es enrhumée.

— Pas du tout ! dit l'ogresse. Il n'y a plus personne près de notre maison et je n'y suis pour rien. »

Vexée, elle sortit de la chambre en claquant la porte.

Qu'allait faire le terrible Potofeu ?

Il but son café, s'habilla et partit à la recherche de son petit déjeuner.

Les routes étaient désertes : pas une seule voiture ni un seul vélo ! Les agriculteurs ne travaillaient pas dans leurs champs. Les animaux avaient disparu !

L'ogre marcha pendant plusieurs heures. Enfin, il aperçut une petite ville :

« Bizarre, grogna-t-il. Je ne vois personne mais j'entends de la musique …»

Il s'approcha : la ville était en fête. Tous les habitants étaient déguisés et masqués. Ils avaient même invité les animaux des environs.

Et tous dansaient et chantaient. Ils lançaient des confettis et des serpentins. Ils riaient, riaient, riaient comme des fous.

Les yeux pétillants de gourmandise, Potofeu ricana :

« Eh eh eh … Rira bien qui rira le dernier ! Hum … Pour l'instant, ils sont beaucoup trop nombreux. S'ils découvrent que je suis un ogre, ils arriveront à m'attraper et à me tuer. Il faut que je me déguise. »

L'ogre chercha donc un costume ...

Au sommet d'une rue en pente, il finit par découvrir une paire de lunettes noires, une drôle de casquette et un énorme tonneau dans lequel il se glissa :

« Comme ça, personne ne me reconnaîtra ! »

Potofeu s'approcha sur la pointe des pieds.

Il hésitait ... Qui allait-il manger en premier : la maîtresse d'école déguisée en chien ou le chien déguisé en maîtresse d'école ?

À ce moment-là, un petit garçon éclata de rire :

« Regardez tous ce bonhomme dans son tonneau ! Qu'il est rigolo !

— Je ne suis pas rigolo du tout ! gronda Potofeu furieux. C'est moi le plus terrible de tous les ogres du monde et je vais vous dévorer ! »

Potofeu voulut se mettre à courir mais il glissa sur les pavés ... Il tomba sur le côté ! Aussitôt, le tonneau se mit à rouler, rouler, rouler du haut de la ville jusqu'en bas !

Et tous les passants criaient :

« Regardez ce drôle de tonneau ! Qu'il est rigolo ! »

Quand le tonneau atteignit enfin le bas de la rue, il s'arrêta.

Potofeu en sortit à quatre pattes : sa tête tournait, tournait, tournait ...

Il voyait des étoiles dorées de tous les côtés.

« J'ai faim, j'ai soif, je veux manger ! Qu'on m'apporte mon petit déjeuner ! » hurla l'ogre furieux.

Et il tendit les bras pour attraper les passants.

Catastrophe ! Comment s'en débarrasser ?

Soudain, le marchand de jouets eut une idée : vite, il alla chercher un gros mannequin en plastique et il le poussa vers l'ogre en disant :

« Bon appétit ! Bon appétit ! »

HOP ! Potofeu bondit. Il ouvrit une large bouche et avala le mannequin d'un seul coup.

Personne ne bougeait plus. Personne ne parlait plus.

D'abord surpris, l'ogre grimaça. Puis il se tortilla en pleurnichant :

« Pouah ! J'ai mal à l'estomac ! Pouah ! Je n'aime vraiment pas ce bonhomme-là ! Pouah trois fois pouah ! »

Alors Potofeu ôta ses lunettes et sa casquette. Il fit demi-tour et décida :

« Je ne mangerai plus jamais de chair fraîche ... Ah ça non ! Plus jamais jamais jamais ! »

Et il rentra chez lui.

Dans sa maison, il retrouva sa femme Tartopomme, ravie d'entendre son mari répéter :

« Plus jamais de chair fraîche... Jamais jamais jamais ! »

Maintenant, chaque matin, quand Potofeu crie :

« J'ai faim, j'ai soif, je veux manger ! », Tartopomme lui apporte un seau de café bouillant et une montagne de tartines grillées.

Et si l'ogre a maigri,
c'est beaucoup mieux ainsi !

Le loup déteste les choux !

Bilou était un gros loup qui vivait près de la forêt du Vieux-Caillou.

Bilou n'était pas méchant mais il n'aimait pas les choux.

Il détestait les choux, il avait horreur des choux, il ne supportait pas les choux : ça le rendait fou fou FOU !

Quand Bilou voyait un chou-fleur dans un potager, il l'arrachait d'un geste rageur et il le passait à la moulinette jusqu'à ce qu'il n'en reste plus une miette. Puis il se frottait les pattes et il hurlait comme un vrai loup : OUOUOUOUOUOUH !

Quand Bilou découvrait des choux de Bruxelles chez un marchand de légumes, il les envoyait avec son lance-pierres de l'autre côté de la terre. Puis il se frottait les pattes et il hurlait comme un vrai loup : OUOUOUOUOUOUH !

Quand Bilou apercevait des choux à la crème dans la vitrine d'une pâtisserie, le pâtissier passait un mauvais quart d'heure ... ça oui ! Le gros loup le bombardait avec la montagne de choux. Puis il se frottait les pattes et il hurlait comme un vrai loup : OUOUOUOUOUOUH !

Les habitants de la région comprirent vite pourquoi Bilou devenait fou. Ils cachèrent tous les choux : les rouges, les blancs, les verts, les sucrés et les salés.

Au restaurant du Vieux-Caillou, on ne mangea plus ni soupe au chou, ni salade de chou ... Un point c'est chou ! Heu ... Un point c'est tout !

À partir de ce moment-là, Bilou devint le loup le plus calme du pays. Il ne se mettait plus en colère. Il souriait aux passants, il offrait des fleurs aux passantes et plus jamais, non plus jamais, il ne hurlait comme un vrai loup.

Les semaines passèrent et quelque temps plus tard, une jolie louve blanche vint s'installer dans la forêt du Vieux-Caillou.

La louve Choupinette fit donc la connaissance de Bilou et elle tomba folle amoureuse de lui. Elle n'en dormait plus, elle n'en mangeait plus ...

Un matin, Choupinette cuisina un délicieux dessert qu'elle déposa dans une boîte en carton. Elle décida d'aller trouver Bilou pour lui dire toute la vérité.

Le gros loup était justement en train de cueillir des fleurs dans un pré.

« Bonjour ! dit la louve blanche.

— Oh bonjour Oupinette ! » répondit Bilou.

Étonnée, la louve hocha la tête : pourquoi Bilou l'appelait-il Oupinette ? Quelle drôle d'idée !

Mais elle ajouta, en tendant la boîte en carton :

« Voici un cadeau pour vous ! »

Le gros loup la remercia et prit la boîte. Sur le couvercle étaient tracés quelques mots :

Bilou, Bilou, je vous aime mon petit chou à la crème !
Signé : Choupinette.

Le gros loup cligna des yeux. Il arracha le couvercle d'un geste rageur et le passa à la moulinette jusqu'à ce qu'il n'en reste plus une miette.

La louve blanche n'en revenait pas : Bilou, son cher Bilou, était-il devenu fou ?

Dans la boîte en carton, le gros loup découvrit une ribambelle de petits cœurs, des choux à la crème en forme de cœur !

Le loup grinça des dents. Il sortit son lance-pierres et il lança les choux un à un, de l'autre côté de la terre.

Horrifiée, la louve blanche sursauta : Bilou, son cher Bilou, était-il devenu fou ?

Alors le gros loup se tourna vers elle et il gronda :

« Que signifie cette méchante farce, Oupinette ?

— Ce n'est pas une farce ! protesta la louve blanche. C'est la vérité, toute la vérité, rien que la vérité, je lève la patte droite et je dis : je le jure ! »

Puis elle ajouta, vexée :

« Je ne m'appelle pas Oupinette, mais CHOUPINETTE ! »

Aussitôt Bilou fit trois bonds sur place et il hurla comme un vrai loup :

OUOUOUOUOUOUH !

La louve blanche terrifiée plongea sous un buisson.

Allait-il la réduire en miettes ? Allait-il la jeter de l'autre côté de la terre ? Allait-il la bombarder avec des pierres ?

Tout à coup, le gros loup se calma.

Il resta ainsi, sans bouger pendant quelques minutes. Enfin il s'approcha à pas lents de la louve et il demanda :

« C'était la vérité, toute la vérité, rien que la vérité ?

— Oui, murmura Choupinette en tremblant.

— Vous ne saviez pas que les ... oux, hum ... les chchchoux me rendaient chchchou, hum ... me rendaient fou ?

— Non », chuchota Choupinette.

Alors Bilou lui tendit la patte et il l'aida à sortir de sa cachette. Bras dessus, bras dessous, ils s'éloignèrent tous les deux dans la forêt du Vieux-Caillou.

On raconte qu'ils y vivent encore et qu'on entend parfois un refrain s'élever entre les branches :

Bilou, Bilou, je vous aime,
mon petit fou à la crème !
Poupinette, je t'adore,
je t'aime toujours plus fort !

Drôle de nez pour un sorcier !

Le sorcier Crapouillet habitait en haut d'un vieil immeuble.

Il avait suspendu son hamac entre les toiles d'araignées, les crapauds empaillés et les bocaux remplis de potions de toutes les couleurs.

Il portait toujours une salopette rayée et un chapeau melon un peu usé. Quant à sa baguette magique, elle était cachée dans la semelle de son soulier droit ... Ça personne ne le savait !

Ce matin-là, Crapouillet s'éveilla en grognant :

« Crapouillard de crapouillard ... Cette nuit, j'ai encore fait un cauchemar. J'ai rêvé qu'une fourmi me chatouillait les doigts de pied, un moustique me picotait les mollets et une souris voulait me manger tout cru. C'était terrible ! »

Le sorcier se frotta les yeux. Il se sentait fatigué. Il avait l'impression de ne plus pouvoir respirer.

« Je me suis encore enrhumé », soupira-t-il.

Il descendit de son hamac et fit quelques mouvements de gymnastique :

1 2 3 4 5 6 7
Un bond et deux galipettes
en enfilant mes chaussettes
en fermant ma chemisette
en bouclant ma salopette !
7 6 5 4 3 2 1
Vive la gym du matin !
Crapilou crapomalin !

Puis le sorcier Crapouillet se regarda dans le miroir. Sur le coup, il ne se reconnut pas et il bredouilla :

« Coa ? Coa ? Coa ? Qu'est-ce que c'est que ça ? Qui m'a fait cette farce-là ? »

Il venait d'apercevoir une tête qui ressemblait à la sienne, une tête avec un énorme nez entre les deux yeux.

Le sorcier nettoya la glace : l'image ne partit pas. Il ne s'agissait pas d'une farce.

Son nez avait doublé, triplé, quadruplé de volume ... Crapouillet avait simplement attrapé l'affreuse maladie de Patatati.

« Crapapatte ! gémit-il. Mon nez ressemble à une patate ! »

Le sorcier sortit sa boîte à outils. Il fallait agir au plus vite !

D'abord, il essaya de saisir son nez avec sa super-pince multiservice.

IMPOSSIBLE : son nez était indécrochable !

Ensuite, il se moucha le plus fort possible ; tellement fort que tout l'immeuble en trembla. Les tableaux se décrochèrent des murs. Les tapis s'enroulèrent et les armoires tremblèrent.

54

Des piles d'assiettes s'effondrèrent … L'horrible nez allait-il se détacher ?

IMPOSSIBLE : son nez était indécrochable !

Enfin, il le pinça, il le griffa et s'il avait eu des dents assez longues, il l'aurait même mordu.

IMPOSSIBLE : son nez était imbougeable !

Rouge de colère, le sorcier se roula par terre, puis il décida :

« Crapoulin ! Je vais employer les grands moyens. »

Il ôta son soulier droit ; il souleva la semelle et il en sortit sa baguette magique.

Crapouillet retourna la baguette dans tous les sens, puis il se gratta la tête :

« Hum … Je ne connais pas la formule à employer. Hum … je vais en essayer plusieurs au hasard … »

Cracocotte et pacotille !
Crabilune et grobaril !
Cracapuce et mascoutil !

Mais plus le sorcier prononçait de mots magiques, plus son nez grossissait, grossissait, grossissait …

Alors il courut chez le médecin le plus proche. Il tambourina à la porte et ordonna :

« Docteur Malheur ! Crapapatte …

Mon nez ressemble à une patate ! Guéris-moi immédiatement !

— À une papa, à une patate ? Mais c'est terrible ! s'écria le docteur. Vous avez attrapé la maladie de Patatati ! Une maladie fort grave … »

Furieux, le sorcier Crapouillet leva sa baguette et hurla :

« Crapatouilli ! Soigne-moi ou je te transforme en tomate pourrie !

— Bien sûr ! Tout de suite ! Ce sera un vrai bobo, un vrai bonheur », bredouilla le docteur Malheur.

Le docteur ouvrit sa mallette d'urgence. Il fit avaler à Crapouillet :

3 verres de sirop
+ 36 pilules rouges et bleues
+ 1 suppositoire et 1 thermomètre

Le sorcier croqua le tout.

« Et le suppositoire ? Et le thermomètre ? s'inquiéta le docteur.

— Avalés ! » dit le sorcier.

Le docteur Malheur hocha la tête car il ne savait absolument pas comment soigner l'affreux Crapouillet.

Il reconduisit donc le sorcier à l'entrée de son cabinet et il lui dit :

« Il faut vous reposer maintenant et surtout, ne plus jamais manger de pommes de terre.

— Même pas de frites ? grogna le sorcier déçu, en tâtant son nez-patate.

— Même pas de frites ! » répéta le docteur.

Le docteur Malheur poussa son client sur le palier et il referma la porte de chez lui.

Mais … CATASTROPHE ! Il la referma beaucoup trop vite et l'énorme nez se trouva coincé.

CRAPOUOUOUILLAAAAAAHHHHH !

Le sorcier Crapouillet poussa un hurlement terrible ! Puis soudain, il se tut, il tâta son visage … le gros nez avait disparu !

À sa place, il ne restait plus qu'un adorable petit nez en trompette.

Le sorcier poussa un long soupir et il se mit à rire.

Le docteur Malheur, lui, pleura de bonheur car il venait de découvrir le moyen de dompter la terrible maladie de Patatati.

Et le sorcier Crapouillet retourna chez lui. Il grimpa dans son hamac et se rendormit.

Cracapoulé ! Quelle drôle de matinée il avait passée !

Amsterdam, le hamster

Amsterdam est un petit hamster très mignon, blanc, jaune et tout rond.

Il agite ses moustaches, ses longues moustaches de hamster coquin et il demande :

« Qu'est-ce que je vais faire aujourd'hui ? »

Cric cric : soudain il entend du bruit. Cric cric : est-ce le vent, est-ce la pluie ?

Mais non ! C'est simplement sa voisine Finette qui croque une graine à pleines dents : cric cric cric !

« Coucou Amsterdam !

— Bonjour Finette, répond le hamster.

— Tu viens jouer avec moi ? » propose Finette.

Bonne idée ! Les voilà tous les deux qui pirouettent et font mille galipettes !

Un petit tour sur le toboggan : on glisse et PAF ! on atterrit, assis par terre au milieu du champ.

Un peu de balançoire sur la tige d'une fleur ... et du trampoline sur la mousse toute douce.

Mais tout à coup, Amsterdam roule roule roule entre les brins d'herbe. Aïe ! Sa tête heurte un gros caillou.

« Tu t'es fait mal ? » s'inquiète Finette.

Amsterdam serre les dents et il se frotte la tête en prononçant lentement la formule-qui-guérit-tout :

« Am stram gram, pic et pic et colégram, bour et bour et ratatam, am stram gram ! »

Aussitôt dit, aussitôt fait : le bobo disparaît ! Et Amsterdam se penche vers sa voisine : il ne reste plus qu'une bosse bleue perchée sur le sommet de sa tête.

Amsterdam et Finette voudraient encore jouer mais une voix retentit :

« Amsterdam ! appelle maman Hamster. Rentre vite ! »

Alors Amsterdam fait un bisou à Finette, du bout de ses moustaches, ses longues moustaches de hamster coquin.

« À demain ! Finette.
— À demain ! »

Le dragon a la tremblote

Aujourd'hui il fait une chaleur terrible. Les habitants de Grenouilleville enfilent leurs maillots de bain et courent jusqu'au lac Plic-Plac. C'est là que vit l'affreux dragon Mirliton... mais personne ne le sait.

Mirliton habite depuis des années dans une grotte sombre. Il est atroce, féroce et couvert de bosses. Il ne rêve que de cabosse. De temps en temps, il attrape un pêcheur ou un baigneur sur les rives du lac. Il l'emporte au fond de sa grotte et l'on n'en entend plus jamais parler.

Ce matin, le dragon se réveille en sursaut :

« Mirontontaine et mirontonton ! s'écrie-t-il. J'entends du bruit ! Qui vient donc ici ? »

Il jette un coup d'œil au-dehors et il aperçoit des danseurs, des baigneurs, des pêcheurs de tous les côtés.

Alors il frotte son énorme ventre rond, il claque sa mâchoire puissante et il se met à ricaner :

« Eh eh eh, parole de dragon ! Mon déjeuner est tout trouvé ! »

Mirliton enfile un large tee-shirt, il prend un grand sac et il sort de la grotte.

Sur les rives du lac Plic-Plac, les baigneurs et les pêcheurs ne se rendent compte de rien. Ils chantent et ils dansent. Ils s'éclaboussent ou ils s'allongent sur la mousse et le sable doré.

Soudain, une petite fille, nommée Élodie, lève la tête. Et que voit-elle derrière les buissons ? Le terrible Mirliton !

« Regardez ! Regardez ! dit la petite fille. Un dragon !

— Un dragon ? s'étonnent les baigneurs.

— Il est atroce, féroce et couvert de bosses, ajoute Élodie.

— Il est atroce, féroce et couvert de bosses », répètent les pêcheurs terrifiés.

Élodie a raison. Les habitants de Grenouille-ville aperçoivent l'affreux dragon qui ricane au bord du lac :

« Eh eh eh ! Atroce, féroce, couvert de bosses... et je ne rêve que de cabosse, de cabosse, de cabosse ! »

Aussitôt les baigneurs, les pêcheurs, les danseurs, les chanteurs courent se cacher : ils plongent au fond de l'eau, ils grimpent en haut des arbres, ils se glissent sous les taillis ou derrière les rochers. Mais Mirliton les trouve tous, les uns après les autres, et il les met dans son grand sac.

Tous ? Non... car Élodie est toujours là, dissimulée parmi les fleurs de toutes les couleurs. La petite fille ne sait pas comment délivrer les prisonniers. Pour l'instant, elle préfère attendre sans bouger.

Quand Mirliton a attrapé tous les habitants de Grenouille-ville, il pose son sac bien fermé et il se couche sur les rochers :

« Mirontontaine et mirontonton ! Je vais me reposer un peu avant de déjeuner. »

L'affreux dragon ferme les yeux et il commence à ronfler bruyamment.

Élodie écarte doucement les fleurs. Elle sort de sa cachette et elle s'approche sur la pointe des pieds.

Chut ! D'abord elle ouvre le grand sac et elle fait signe aux prisonniers de la suivre sans bruit.

Puis elle cueille un peu de poil à gratter sur une branche d'églantier et elle le glisse lentement dans le large tee-shirt du dragon, en chuchotant : « Cachons-nous et attendons ! ».

Enfin, le terrible Mirliton ouvre les yeux. Il se lève d'un bond car quelque chose le gêne dans son dos :

« Mirontontaine et mirontonton ! Ça me grattouille ! Ça me gribouille ! Ça me chatouille ! »

Sur les rives du lac Plic-Plac, le dragon se met à trembler, à bouger, à gesticuler et à se gratter, se gratter, se gratter. Il ne pense plus à ses prisonniers, il ne pense plus à son déjeuner. Il a presque tout oublié.

Alors Élodie et les danseurs, les baigneurs, les pêcheurs s'écrient dans un grand éclat de rire :

« Le dragon a la tremblote ! Le dragon a la tremblote ! Il est atroce, féroce et couvert de bosses. Mais il ne rêve plus de cabosse. »

Abandonnant l'affreux Mirliton, tous s'éloignent vers Grenouille-ville, en applaudissant Élodie qui leur a sauvé la vie.

La naissance d'Azor

Qu'y a-t-il ce matin au milieu du pré vert ? Oh ! Un œuf blanc, un œuf énorme, comme on n'en a encore jamais vu ! Il est sans doute tombé d'une étoile filante pendant la nuit ...

Aussitôt, Guili-guili le canari sautille entre les brins d'herbe :

« Piou pi pi pi ! Voilà de quoi faire une omelette pour tout le village ! »

Perché en haut d'un sapin, son ami Keuleuleu, l'écureuil gris, agite sa longue queue touffue et s'écrie :

« Attention Guili-guili ! C'est sûrement dangereux ! »

Mais le canari ne l'écoute pas. Du bout du bec, il tapote le sommet de l'œuf et il s'étonne :

« Piou pi pi pi ! C'est bizarre ... Il y a quelqu'un là-dedans ! Peut-être un éléphant ? »

CRIC CRAC : la coquille de l'œuf se fendille lentement. Inquiet, le canari s'enfuit à tire-d'aile et se réfugie au sommet du sapin.

« Tu as vu quelque chose ? demande Keuleuleu.

— Oui, une tache rouge en haut de l'œuf ... » explique Guili-guili.

Soudain, la coquille éclate complètement : CRIC CRAC ! Et qu'est-ce qui en sort ? Ça alors, c'est un peu fort : un mini-dinosaure ! Un dinosaure rouge cerise, rouge tomate, rouge de la tête aux pattes !

Le mini-dinosaure ouvre de grands yeux : il ne comprend pas très bien ce qu'il fait là, au milieu d'un pré vert. Il écarte les morceaux de coquille et se déplace lentement. Un pas, deux pas ...

Oh là là, c'est difficile de marcher sans écraser les pâquerettes et les boutons-d'or.

« Quelle drôle de fraise à quatre pattes ! se moque le canari qui éclate de rire.

— Une fraise avec une longue queue et pas un seul cheveu ! » ajoute l'écureuil gris.

Le mini-dinosaure lève la tête et sourit :

« Bonjour ! Vous êtes tous les deux ma maman ?

— Bien sûr que non ! répond Guili-guili, un peu honteux.

— Mais si tu veux, on sera tes amis, propose Keuleuleu.

— Et on t'appellera Azor, d'accord ? propose le canari.

— D'accord ! » répond le mini-dinosaure.

Keuleuleu, Guili-guili et Azor sont devenus inséparables. Avec ses amis,

le mini-dinosaure apprend à faire la galipette et à sauter à cloche-pied.

Marcher sur les pattes avant et grimper aux arbres : c'est un peu plus difficile !

« Quand je serai grand, se vante Azor. Je parie que je volerai comme un canari ! »

Le temps passe et le mini-dinosaure grossit, grossit … grandit, grandit …

En quelques semaines, Azor devient aussi gros qu'un buisson, plus grand qu'un éléphant, plus haut qu'une maison …

Un vrai dinosaure géant !

« En route ! » s'écrie Azor.

Sa voix résonne comme un coup de tonnerre, mais ses deux amis n'ont jamais peur de lui.

« Rien à droite ! Rien à gauche ! dit l'écureuil, assis sur la tête du dinosaure.

— Rien à droite ! Rien à gauche ! » répète le canari.

Et les trois amis s'éloignent dans la prairie.

Un peu plus loin, un pont de bois enjambe la rivière. Attention Azor ! Tu es trop lourd, tu ne passeras pas !

« C'est un peu fort, dit le dinosaure vexé. Je ne suis pas si gros que ça ! »

Et le dinosaure avance à grands pas ... Mais CRAC ! Tout à coup, le pont s'écroule et Azor se retrouve dans la rivière, assis sur son gros derrière. PLOUF et SPLASH ! L'eau déborde partout et les trois amis s'amusent comme des fous.

Soudain, Azor relève la tête : il a entendu chantonner. Non loin de la rivière, une dame et son petit garçon étendent du linge : des draps blancs, des mouchoirs bleus et une large nappe rouge.

Aussitôt, le dinosaure s'immobilise : nom d'un toréador !

ROUGE ROUGE ROUGE ! Il déteste le rouge, il ne supporte pas le rouge, il a horreur de cette couleur !

« Qu'est-ce que tu as ? s'étonne Guili-guili.

— Qu'est-ce que tu as ? » répète l'écureuil gris.

Mais le dinosaure ne répond pas. Les yeux fixés sur la nappe rouge rouge ROUGE, il grince des dents, tape des pattes et secoue sa longue queue. Il sursaute, il tressaute, il triple-saute ...

« Calme-toi ! ordonne le canari.

— Calme-toi ! » répète Keuleuleu surpris.

Mais Azor n'écoute pas. Il fonce à toute vitesse, droit devant lui en direction de la nappe rouge rouge ROUGE !

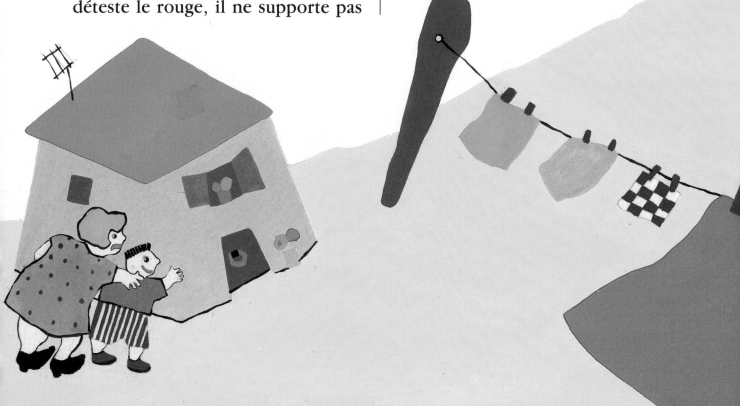

Ahuri, le canari s'écrie :

« Piou pi pi pi ! Arrête, Azor ! Tu n'es pas un taureau ! Ce n'est qu'un morceau de tissu ! »

ZIP ! Le dinosaure plonge dans la nappe et celle-ci s'enroule autour de sa tête … Il n'y voit plus rien du tout ! Il ne voit que du rouge **rouge** **ROUGE** ! Attention ! Il va devenir fou furieux!

À quelques pas de là, Fabien le petit garçon, et sa maman n'osent plus bouger : il y a un monstre ! Un terrible monstre dans leur jardin !

« Ce n'est pas un monstre, chuchote Fabien. C'est un dinosaure qui a une drôle de couleur … Moi, je n'ai pas peur ! »

HOP ! Le petit garçon bondit. Il attrape le bord de la nappe et la tire de toutes ses forces.

Azor hoche la tête : il voit de nouveau la vie en rose, en vert, en bleu … Et il cligne des yeux en répétant :

« Ça alors ! Que s'est-il passé passé passé ? »

Heureusement, le petit garçon le rassure :

« Rien de grave ! Je vais tout te raconter. »

Alors le dinosaure pose doucement sa grosse tête aux pieds de Fabien et il demande :

« Tu ne m'en veux pas, dis ?

— Mais non ! » répond le petit garçon en l'embrassant.

En fermant un peu les yeux, Azor

ramasse avec précaution la nappe rouge et il la dépose aux pieds de la maman de Fabien. Puis il propose :

« Qui veut faire un petit tour ? »

HOP ! Le petit garçon escalade le dos du drôle de dinosaure, aussitôt suivi par le canari et l'écureuil gris.

« Rien à droite ! Rien à gauche ! En route ! » ordonne Fabien.

Au pas, au trot et au galop, Azor s'éloigne à travers les champs.

Quand la balade est terminée, le dinosaure raccompagne Fabien chez lui.

« Reviens me voir bientôt, demande le petit garçon.

— Promis, juré ! répond Azor. Parole de dinosaure ! »

Maintenant, la nuit va tomber. Azor, Keuleuleu et Guili-guili se retrouvent enfin sur le pré vert et ils se mettent à chanter :

C'est la chanson du dinosaure !
Il est si grand ! Il est si fort !
Quand il voit rouge :
tout bouge, bouge !
Et quand il vous fait les yeux doux,
c'est pour avoir un gros bisou !

La fée de la grotte

Cette histoire se passe il y a très longtemps dans un village de Chine.

Un père avait deux fils : Tchang l'aîné et Li le plus jeune.

Tchang était très beau, mais il était aussi méchant et paresseux.

Son frère Li avait un cœur d'or, mais il était hélas très laid.

Près du village se dressait une montagne dans laquelle se trouvait une grotte. On disait que c'était le repère d'une fée qui aimait se moquer des passants. C'est pourquoi les promeneurs ne s'en approchaient jamais.

Un soir, Tchang et Li passèrent au pied de la montagne et Tchang pensa :

« J'ai bien envie de jouer un mauvais tour à cet idiot de Li. S'il rencontre la fée, elle le changera peut-être en affreux crapaud ... »

Tchang entraîna son frère dans la grotte, puis il lui dit :

« Attends-moi ici, Li ! J'ai perdu quelque chose en route, je reviens bientôt. »

Et Tchang se sauva à toutes jambes.

Le temps passa et Li commença à

s'inquiéter : que faisait donc son frère ? Était-il blessé ?

Soudain une voix retentit :

« Entre donc ! Je suis la fée de la grotte. »

Li se retourna. Une grande femme se trouvait là, près de lui.

« N'aie pas peur, dit-elle. Je te donnerai un trésor.

— Je n'ai pas besoin de trésor, répondit Li. J'attends simplement mon frère. »

La fée se mit à rire :

« Ton frère s'est moqué de toi. Il y a longtemps qu'il est arrivé chez ton père.

— C'est impossible ! dit Li.

— Avant de reprendre ta route, veux-tu nager un peu dans mon lac magique ? Cela te fera du bien », ajouta la fée.

Li accepta et plongea aussitôt dans l'eau glacée.

Quand il ressortit, il aperçut une image inconnue qui se reflétait à la surface de l'eau.

« Ce jeune homme est très beau mais ce n'est pas moi ! » s'écria Li qui n'en revenait pas.

La fée s'approcha et murmura :

« Si, c'est bien toi, car ton corps est maintenant aussi beau que ton cœur. »

Et elle disparut.

Alors Li retourna chez son père. Quand son frère Tchang apprit ce qui s'était passé dans la grotte, il faillit en mourir de jalousie et il décida :

« Moi aussi, je vais aller me baigner dans ce lac magique. »

Dès le lendemain, Tchang se rendit au pied de la montagne.

« Entre, dit la fée. Viens boire du thé et manger des gâteaux. Ensuite tu pourras te rafraîchir dans mon lac. »

Tchang, ravi, mangea et but autant qu'il put. Puis il plongea dans l'eau glacée … Mais quand il ressortit du lac, sa tête ressemblait à celle d'un vieux cochon ridé.

« Ce n'est pas moi ! hurla-t-il. Je suis le plus beau jeune homme de la terre ! Je ne suis pas cet affreux cochon …

— Si, c'est bien toi, car ton corps est maintenant aussi laid que ton cœur », dit la fée de la grotte avant de disparaître.

Tchang eut beau crier, gémir, taper du pied … Rien n'y fit : il resta affreux pendant toute sa vie.

Mais Li était si bon qu'il prit soin de son frère aîné. Et personne, jamais personne, n'eut le droit de se moquer de Tchang, l'homme à la tête de cochon, Tchang qui était devenu si laid.

Alerte dans le poulailler

Dans le poulailler, on va bien s'amuser : on va jouer à poule-perchée, à poule-maillard et à cache-poule-poule !

La fermière trait les vaches. Le fermier sème du blé dans le grand champ d'à côté. Personne ne pense au renard qui s'approche sur le sentier : un renard très affamé.

« Eh eh eh, ricane le renard en grinçant des dents. Eh eh eh, les fermiers ne m'ont pas vu ... Je vais me régaler. »

Dans le poulailler, on chante, on rit.

Les poussins piaillent : piou piou piou ! Maman Poule picore des grains dorés. Le grand coq Koko sommeille sur le tas de fumier.

Glou-ou glou : les dindons se dandinent comme des fous ; et les oies bavardes racontent les derniers cancans de la ferme.

Mais qui se cache tout près du poulailler ? À qui appartiennent ces oreilles rousses ? À qui sont ce museau noir et ces longues dents pointues ?

Personne ne le sait ... Non ! Personne n'a vu le renard rusé !

Sans un bruit, le renard affamé s'approche sur la pointe des pattes.

HOP ! Il prend son élan et il atterrit soudain au milieu du poulailler.

« Piou piou piou ! crient les poussins affolés.

— Cocorico ! Cocorico ! » lance le coq Koko réveillé en sursaut.

Terrifiés, les dindons et les oies se cachent derrière le tas de fumier.

Les plumes s'envolent de tous les côtés.

Alerte ! Alerte dans le poulailler !

Le renard se lèche déjà les babines. Il regarde à gauche, il regarde à droite et il aperçoit maman Poule protégeant ses petits :

« Eh eh eh ! Cette poule blanche fera un excellent déjeuner ! »

Aussitôt dit, aussitôt fait : le renard bondit sur maman Poule et il l'emporte loin de la ferme.

Alerte ! Alerte dans le poulailler !

« Piou piou piou ! Maman reviens, reviens vite ! appellent les poussins.

— Kikiroki kikiroki ... bredouille le coq Koko.

— Au secours ! Au secours ! » répètent les oies et les dindons.

Mais la jolie poule blanche ne les entend pas ... Elle ferme les yeux et

elle sait que rien ne pourra arrêter le renard affamé.

Rien ? Si ... Peut-être quelqu'un ...

Dans le grand champ d'à côté, le fermier est en train de semer du blé. Et que voit-il passer non loin du sentier ? Un renard tenant dans sa gueule, une petite poule blanche !

« Tonnerre ! » s'écrie le fermier en colère. Il saisit aussitôt un énorme bâton et il s'élance à la poursuite du voleur aux oreilles pointues.

Le renard hésite un peu : que va-t-il faire ? Le fermier n'est plus qu'à quelques mètres de lui ... Il lève son bâton, prêt à l'assommer ...

Alors, le renard préfère abandonner la poule sur le chemin et il regagne au plus vite son terrier dans la forêt.

Inquiet, le fermier ramasse la poule blanche et il la porte jusqu'au poulailler, en disant :

« Heureusement, tu n'es pas gravement blessée, ma jolie ! Un peu de repos et tu seras complètement guérie ! »

Quelques minutes plus tard, le fermier dépose doucement la poule blanche sur un tapis de paille.

Ça y est : maman Poule est sauvée !

Quelle joie dans le poulailler !

« Piou piou piou ! piaillent les poussins contents.

— Cocorico ! Cocorico ! lance le coq Koko, perché sur le tas de fumier.

— Glou-ou glou ! » ajoutent les dindons ravis.

Et pour fêter le retour de la poule blanche, les oies bavardes organisent de folles parties de poule-perchée, de poule-maillard et de cache-poule-poule !

Youpi ! Vive le grand poulailler !

Scarabidouche,
le hibou qui louche

Scarabidouche est un drôle de hibou, mais il n'a pas les yeux en face des trous. Il voit tout en double, parfois tout en triple ... car c'est un hibou qui louche !

Quand il était encore un bébé hibou, sa maman lui disait :

« Scarabidouche ! Arrête de faire des grimaces !

Scarabidouche, regarde droit devant toi !

Scarabidouche, prends l'air intelligent ! »

Mais le petit hibou n'y pouvait rien ! Pauvre Scarabidouche !

Un hibou qui louche est un hibou qui louche ... nom d'une mouche !

Quand il allait à l'école des oiseaux, son maître, le père Hoquet, lui demandait :

« Scarabidouche ! HIC HIC ... Combien y a-t-il de plumes au bout de mon HIC ... au bout de mon aile ?

— Six ! » répondait fièrement le petit hibou.

Mais le maître n'en montrait que trois ... Pauvre Scarabidouche ! Ce n'était pas de sa faute s'il voyait tout en double !

Un hibou qui louche est un hibou qui louche ... nom d'une mouche !

Perchés sur le marronnier, les élèves se moquaient de lui :

« Ouh ! Ouh ! Il est nul ! Ouh ! Ouh ! Il est fou !

Ouh ! Ouh ! Il est toujours dans les choux ! »

Mais Scarabidouche se bouchait les oreilles et répétait tout bas :

« C'est celui qui l'dit, qui y est ! C'est celui qui l'dit, qui y est ! »

Et il rêvait du jour où il quitterait ce grand bois, pour toujours.

Puis le petit hibou grandit grandit grandit ...

Et il devint peu à peu le plus grand oiseau de la forêt.

Personne n'osait plus se moquer de lui.

Le père Hoquet ne l'interrogeait plus.

Et sa maman Hibou était partie vivre, très loin, chez une amie.

Mais Scarabidouche entendait toujours chuchoter derrière son dos :

« Il est incapable d'attraper une souris ...

— Il n'y voit goutte ...

— Évidemment pour un hibou qui louche, nom d'une mouche ! »

Alors un jour, Scarabidouche décide de s'en aller, de quitter la forêt.

Il prend son sac à dos et s'envole aussitôt.

Au loin, des toits roses brillent au soleil : c'est Pigeon-ville, la ville des Pigeons Dorés.

Hop ! Le hibou agite les ailes et il rejoint Pigeon-ville : quel voyageur extraordinaire !

Très fier, il se pose sur un lampadaire, juste devant la fenêtre d'une école.

Dans la classe, Priscille, une petite fille, le montre du doigt :

« Regardez ! Le drôle de hibou avec un sac à dos !

— Un hibou qui louche ! » ajoute son voisin Benjamin.

Les élèves se précipitent vers la fenêtre. Fabien le dessine aussitôt avec une craie sur le tableau. La maîtresse saisit son appareil photo.

« Il a l'air bête, se moque Benjamin. Bête comme un pou !

— Pas du tout ! proteste Priscille. Je suis sûre qu'il est très malin. Dis, monsieur le hibou, combien y a-t-il de doigts sur ma main ?

— Dix ! » répond immédiatement le hibou.

Pauvre Scarabidouche ! Ce n'est pas de sa faute s'il voit tout en double !

Un hibou qui louche est un hibou qui louche ... nom d'une mouche !

Aussitôt, les élèves éclatent de rire :

« Ouh ! ouh ! Il est nul ! Ouh ! ouh ! Il est fou !

Ouh ! ouh ! Il est toujours dans les choux ! »

Scarabidouche roule de gros yeux furieux. Il claque du bec et décolle, pendant que Priscille lui fait de grands signes :

« Ohé, monsieur le hibou ! Va chez l'oculiste, il te soignera ! »

Mais Scarabidouche vexé hausse les épaules : Loc Ulysse ? Locu Liste ?

Il ne connaît pas ce bonhomme-là !

Il soupire tristement et préfère s'éloigner.

Un peu plus loin, le hibou aperçoit dans une vitrine une superbe affiche :

POUR VOIR PLUS LOIN,
POUR VOIR MIEUX :
CES JUMELLES RENDENT
HEUREUX !

« YOUH OUH ! » ulule le hibou ravi.

Hop ! Il entre dans la boutique et dit :

« Bonjour ! Je voudrais acheter toutes vos jumelles. »

Toutes les jumelles du magasin ? Le vendeur, monsieur Biglou, regarde l'oiseau d'un air méfiant :

« Vous avez des sous ?

— Des choux ? s'exclame Scarabidouche. Non, je n'ai pas de choux !

— Alors dehors ! » ordonne monsieur Biglou en montrant la porte.

Le hibou mécontent s'enfuit à toutes pattes : les habitants de Pigeonville sont de vrais vautours, d'affreux canards boiteux !

Et Scarabidouche furieux se réfugie dans l'immeuble voisin.

Le toit de cette étrange maison est couvert de vitres transparentes. Au milieu de la pièce se dresse un énorme tube, pointé vers le ciel.

Un vieux monsieur aux cheveux blancs agite la main et sourit gentiment :

« Entrez donc, Grand Chef Indien couvert de plumes ! Soyez le bienvenu chez Martin Clou, le célèbre savant. Venez essayer mon fantastique télescope ! »

Curieux, Scarabidouche s'approche du drôle de tube et il regarde à l'intérieur :

« YOUH OUH ! sursaute-t-il. J'ai vu deux lunes, deux lunes gigantesques !

— Moi aussi, dit Martin Clou. Et pourtant, il n'y en a qu'une : c'est bien connu ! »

Le hibou se retourne surpris ... Et que voit-il ?
UN SAVANT,
UN VRAI SAVANT
QUI LOUCHE !

Alors Scarabidouche se met à rire, à rire, à rire …

« Vous vous moquez de moi, misérable emplumé ? grogne Martin Clou.

— Mais non ! dit le hibou. Je suis exactement comme vous. Moi aussi, je louche ! »

Le savant sort aussitôt des petites lunettes de sa poche, il les place sur le bout de son nez et il entraîne Scarabidouche dans la rue :

« Suivez-moi, monsieur l'Indien déguisé en hibou ou en machinchouette !

— Mais je ne suis pas un Indien … » proteste Scarabidouche.

Martin Clou n'écoute pas et il poursuit sa route, tout en parlant :

« Pour votre fête, monsieur l'Indien, allons chercher des lunettes !

— Ce n'est pas ma fête … s'étonne Scarabidouche.

— STOP ! » ordonne soudain le savant.

Et il s'arrête devant une large porte où sont tracées quelques lettres :

DOCTEUR ULYSSE BINOCLO
OCULISTE

Le hibou n'est guère rassuré … Crac : la porte s'ouvre mais Martin Clou a disparu ! Scarabidouche serait-il tombé dans un terrible piège ?

« Que voulez-vous ? dit Ulysse Binoclo.

— Je je je … ne sais pas », bégaie le hibou effrayé.

L'oculiste fixe Scarabidouche droit dans les yeux et il demande :

« Combien y a-t-il de doigts sur mes deux mains ?

— Vingt ! » répond timidement le hibou.

Scarabidouche s'attend au pire. Ulysse Binoclo va se mettre à rire et le jeter à la rue … Eh bien, non ! Pas du tout ! L'oculiste l'entraîne derrière lui et il sourit :

« J'ai ce qu'il vous faut ! Que préférez-vous : monocle, binocle,

lunettes simples, lunettes fluorescentes, lunettes-parapluie, lunettes-téléphone, lunettes-bonbons, lunettes-télévision ?

— Heu ... hésite Scarabidouche. Lunettes simples : ce sera parfait ! »

Alors Ulysse Binoclo verse quelques gouttes bizarres dans les yeux du hibou. Puis il lui montre de grands panneaux couverts de dessins ou de lettres. Il lui fait essayer cent paires de lunettes.

Et deux heures plus tard, il s'écrie enfin :

« Tout est bien qui finit bien ! Regardez-vous dans cette glace ... Que voyez-vous ?

— Je vois un hibou, nom d'une mouche ! » répond Scarabidouche.

INCROYABLE : le hibou ne voit ni en double, ni en triple ! Il voit tout nor-ma-le-ment !

Alors il se met à danser, à virevolter de tous côtés, et il embrasse l'oculiste étonné.

« Vous avez des sous ? demande Ulysse Binoclo.

— Des choux ? s'exclame Scarabidouche. Non, je n'ai pas de choux !

— Tant pis ! dit l'oculiste. Je vous offre ces lunettes, car c'est la première fois de ma vie que je soigne un hibou qui louche ... Et un hibou avec des lunettes : il n'y a rien de plus chouette ! »

Scarabidouche est-il retourné dans la forêt ? A-t-il revu son ancien maître, le père Hoquet ? Ça, personne ne le sait ...

Mais vous, qu'en pensez-vous ?

Le géant qui voulait devenir petit

Jean-jean était un géant, immense, GIGANTESQUE …

Sa tête frôlait les nuages. Ses jambes étaient plus hautes que des troncs de séquoias. Au creux de sa main, il faisait tenir sans problème un village entier.

Pourtant Jean-jean rêvait de devenir petit. Depuis sa naissance, c'était son rêve le plus cher : pouvoir se glisser dans un trou de souris, dormir sur une fleur de tournesol ou voyager au fil de l'eau dans une chaussure …

Et Jean-jean regardait le monde avec ses yeux immenses, GIGANTESQUES :

« Par le grand Mirliton blanc, je suis sûr que quelqu'un pourrait m'aider, disait-il. Mais comment et où le trouver ? »

Jean-jean ne mangeait jamais de soupe, car sa mère lui avait répété au moins cinq mille fois quand il était enfant : « Mange ta soupe, Jean-jean, ça fait grandir ! C'est bon pour les géants ! »

Il ne dormait presque jamais, car son grand-père, un docteur-géant, lui avait confié il y a fort longtemps : « Dors bien, Jean-jean ; c'est pendant le sommeil qu'on grandit ! »

C'est pourquoi, il était très fatigué et n'arrêtait pas de bâiller.

Jean-jean vivait dans une grotte immense, GIGANTESQUE à l'intérieur d'une montagne.

Un jour qu'il se reposait devant chez lui, quelque chose lui chatouilla les doigts de pied.

« Par le grand Mirliton blanc, que se passe-t-il donc ? » s'étonna le géant.

Il se pencha et que vit-il ? Un homme, un petit homme de rien du tout qui escaladait son pied.

« Ne vous gênez pas ! » grogna Jean-jean.

Le petit homme minuscule leva la tête :

« Oh excusez-moi, fit-il. Je croyais qu'il s'agissait d'un rocher rose.

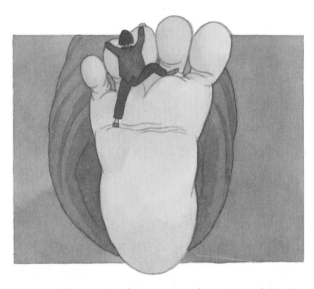

— Mon pied, un rocher ? » s'écria le géant qui éclata d'un rire immense, GIGANTESQUE.

Le petit homme se boucha les oreilles et protesta :

« Vous ne pourriez pas baisser d'un ton ? »

Jean-jean attrapa alors délicatement le bonhomme minuscule entre le pouce et l'index :

« Dis-moi bestiole …

— Mon nom est Ernest Libellule, pas Ernest Bestiole, monsieur ! » interrompit le petit homme vexé.

Jean-jean respira un grand coup car ce bonhomme ridicule commençait à l'agacer. Par le grand Mirliton blanc, c'était incroyable de rencontrer des gens qui n'avaient même plus peur des géants ! Tout ça, c'était à cause de la télévision, évidemment !

« Ernest Libellule, tu peux sans doute m'aider, fit le géant.

— Sans doute, dit le petit homme avec sérieux. De quoi s'agit-il ?

— Je voudrais devenir petit … »

Ernest Libellule se gratta la tête : un géant qui voulait devenir petit, ça ne courait pas les rues ! Il réfléchit long-temps, sortit un calepin de sa poche et finit par répondre :

« Il y a peut-être une solution …

— Ah oui, par le grand Mirliton ?

— Je connais trois personnes que vous irez voir de ma part. J'espère qu'elles pourront vous aider », dit le petit homme.

Ernest Libellule expliqua longue-ment à Jean-jean où trouver les trois personnes en question : Téchiné vivait en haut d'une montagne d'Asie, Lédecoco au bord d'un lac africain et Céducoca dans une forêt d'Amérique du Sud. Tous les trois connaissaient des plantes aux pouvoirs magiques.

Le géant remercia le petit homme

minuscule puis il le déposa doucement sur le sol.

« Bon voyage et bonne chance ! »
cria Ernest Libellule en s'éloignant.

Le lendemain, Jean-jean partit donc
à la recherche de Téchiné, Lédecoco
et Céducoca. Mais les trois amis
d'Ernest Libellule pourraient-ils
l'aider à réaliser enfin son rêve ?
L'avenir le lui dirait.

En quelques pas de géant, Jean-jean
se rendit au bord de la mer Méditer-
ranée qu'il traversa rapidement à la
nage.

Au bord d'un grand lac africain aux
reflets d'argent, il finit par découvrir
une case et dans cette case, un
homme noir qui chantait des mots
inconnus.

« Dis-moi, l'homme qui parle une
langue que je ne connais pas, commença le géant, sais-tu où je pourrais
trouver Lédecoco ? »

L'homme leva la tête et il aperçut
un géant, immense, GIGAN-
TESQUE.

« Je parle aussi ta langue, géant, dit-
il. Je suis Lédecoco. Pourquoi me
cherches-tu ?

— Je voudrais devenir petit »,
répondit Jean-jean.

Lédecoco fouilla dans sa poche et
il en sortit une graine noire :

« Mange-la » fit-il, puis il se remit à
chanter.

Jean-jean était un peu inquiet. Il
avala la graine … Aussitôt il se mit à
rapetisser … rapetisser. Il n'était plus
GIGANTESQUE, il était seulement
immense … ce qui était encore
beaucoup pour un géant qui rêvait de
devenir petit !

« Par le grand Mirliton blanc, tu
n'aurais pas une autre graine ? »
demanda Jean-jean.

Lédecoco secoua la tête sans arrêter sa chanson.

Alors Jean-jean reprit sa route. Comme il était deux fois moins grand, il lui fallait marcher deux fois plus … naturellement !

Une semaine plus tard, il arriva en Asie. En haut d'une montagne, il découvrit un temple dans lequel un homme jaune priait avec des mots inconnus.

« Dis-moi, l'homme qui parle une langue que je ne connais pas, commença le géant. Sais-tu où je pourrais trouver Téchiné ? »

L'homme leva la tête et il aperçut un géant immense.

« Je parle aussi ta langue, géant, dit-il. Je suis Téchiné. Pourquoi me cherches-tu ?

— Je voudrais devenir petit », répondit Jean-jean.

Téchiné prit une théière remplie d'eau bouillante et il y versa quelques brins d'herbe jaune.

« Bois ceci », fit-il.

Jean-jean but le contenu de la théière. Aussitôt il se mit à rapetisser … rapetisser. Il n'était plus immense … mais il était encore un géant qui ne pourrait jamais se faufiler dans un trou de souris !

« Par le grand Mirliton blanc, tu n'aurais pas une autre boisson ? » demanda Jean-jean.

Téchiné secoua la tête et continua sa prière.

Alors Jean-jean reprit sa route. Il marcha, marcha longtemps.

Puis il nagea jusqu'en Amérique du Sud. Et dans la grande forêt d'Amazonie, il eut bien du mal à trouver Céducoca, le troisième ami d'Ernest Libellule.

Il finit par apercevoir un homme brun qui dansait et répétait des mots inconnus.

« Dis-moi, l'homme qui parle une langue que je ne connais pas, commença le géant. Sais-tu où je pourrais trouver Céducoca ? »

L'homme leva la tête et il aperçut le géant.

« Je parle aussi ta langue, géant, dit-il. Je suis Céducoca. Pourquoi me cherches-tu ?

— Je voudrais devenir petit », répondit Jean-jean.

Céducoca cueillit quelques plantes en haut d'un arbre et il les tendit au géant :

« Suce-les sans les avaler », fit-il.

Jean-jean obéit. Aussitôt il se mit à rapetisser ... rapetisser. Il n'était plus un géant ... Il avait à présent la taille d'un homme qui ne pourrait jamais passer par un trou de souris !

« Par le grand Mirliton blanc, tu n'aurais pas une autre boisson ? » demanda Jean-jean.

Céducoca secoua la tête :

« Ça ne te plaît pas d'avoir la même taille que moi ? demanda l'homme brun.

— Si, pourquoi pas ... » répondit Jean-jean.

Il salua Céducoca et retourna chez lui. Il lui fallut beaucoup, beaucoup de temps pour rejoindre sa grotte de l'autre côté de la mer. Il dut même construire un bateau, emprunter une moto et se cacher dans le coffre d'une auto.

Enfin, une année plus tard, il se retrouva chez lui. Tout lui paraissait immense, GIGANTESQUE.

L'entrée de sa grotte ressemblait à un fantastique trou de souris ! Les fleurs de son jardin étaient si grandes qu'elles pouvaient lui servir de hamac.

« Par le grand Mirliton blanc, s'écria-t-il. Je vais enfin pouvoir réaliser mon rêve d'enfant. »

Alors Jean-jean alla chercher Ernest Libellule qui habitait non loin de là. Et tous les deux transportèrent l'une des chaussures de géant jusqu'à un large fleuve ... une chaussure immense, GIGANTESQUE.

Ils grimpèrent dedans et s'en allèrent au fil de l'eau.

« Par le grand Mirliton blanc, dit Jean-jean. Je n'ai jamais vu de pareil bateau.

— Moi non plus » ajouta Ernest Libellule.

Et tous les deux éclatèrent de rire ... mais pas d'un petit rire de rien du tout ... Non ! d'un rire géant, immense, même GIGANTESQUE.

Alfonse, le renard

Alfonse était un petit renard frileux. Chaque jour, il prenait la température du vent et de la terre, avant de sortir de sa tanière.

Ce matin, il pointe justement le museau hors de son terrier, quand il entend soudain un drôle de bruit : snif snif snif ...

Tiens, qui pleure sur le sentier ? Snif snif snif ...

Curieux, Alfonse jette un coup d'œil dans la forêt.

Snif snif : une petite poule grise s'est arrêtée au pied d'un grand châtaignier, une petite poule qui a l'air si triste qu'Alfonse n'ose même pas lui parler.

Mais la poule s'approche de lui à petits pas et elle lui dit :

« Monsieur le renard … Je suis perdue dans la forêt, j'en ai assez de ma vie de poule. Monsieur le renard, mangez-moi s'il vous plaît ! »

Alfonse hoche la tête : pouah ! Il n'aime pas les poules ! Il déteste manger de la poule et encore moins du poulet ! Quand il était un tout petit renard, sa maman lui en proposait très souvent … Mais Alfonse n'avait jamais voulu y goûter.

« Non merci, sans façon ! répond poliment le renard. Je préfère le saucisson et la confiture de potiron. »

Alors la petite poule grise fait demitour et elle s'éloigne sur le sentier : snif snif … elle s'éloigne dans la forêt.

Alfonse ne sait pas quoi faire. Va-t-il rentrer se mettre au chaud dans sa tanière ?

Tout à coup, quelques rayons de soleil glissent entre les branches des grands arbres et toutes les larmes de la petite poule grise se mettent à briller comme les cailloux du petit Poucet.

Aussitôt, Alfonse dresse ses oreilles rousses. Hop ! Il s'élance sur le sentier et il suit en courant le chemin indiqué.

Là-bas, la petite poule disparaît derrière un buisson. Alfonse l'aperçoit et il s'écrie :

« Ohé ! ohé ! C'est moi, Alfonse le renard ! Attends-moi ! Je t'invite dans mon terrier ! »

La petite poule relève la tête et essuie ses yeux.

Peu après, Alfonse le renard frileux et sa nouvelle amie se retrouvent tous les deux, bien au chaud au fond de la tanière, oubliant la température du vent et de la terre.

Et pendant ce temps, le soleil efface lentement les larmes brillantes d'un drôle de petit Poucet.

Lucie

Lucie est une petite fille très timide. À l'école, personne ne l'a jamais entendue parler !

Le grand François se moque d'elle sans arrêt :

« Ouh ! Lucie qui ne chante pas ! Ouh ! Lucie qui a toujours la bouche fermée ! »

Mais Lucie ne l'écoute pas. Elle préfère se boucher les oreilles avec ses doigts. Quelle drôle de petite fille !

De temps en temps, la maîtresse la prend sur ses genoux et elle lui dit :

« Lucie, parle-moi un peu … Qu'est-ce que tu aimes ? Raconte-moi ce que tu as fait hier soir … »

Lucie lui fait un grand sourire, mais elle ne dit pas un mot. Quelle drôle de petite fille !

La maîtresse est un peu inquiète. Elle va trouver la maman de Lucie :

« Votre petite fille ne parle jamais, ce n'est pas normal !

— C'est incroyable ! s'étonne la maman de Lucie. À la maison, c'est un vrai moulin à paroles. Elle n'arrête pas ! Elle raconte tout ce qu'elle fait, à son chien, Petitoutou ! »

La maîtresse réfléchit : si Lucie emmenait un jour son chien à l'école … ça irait peut-être mieux ! Et les enfants de la classe seraient contents de voir un petit chien assis sur une chaise.

Petitoutou à l'école ? La maman de Lucie est un peu surprise :

« Vous êtes sûre que les enfants n'auront pas peur ?

— Mais non, mais non ! » répond la maîtresse.

Alors, le lendemain dans la classe, tout le monde attend Lucie avec impatience. La maîtresse a expliqué aux enfants que la petite fille apporterait une surprise.

Tout à coup la porte s'ouvre. Lucie entre sur la pointe des pieds.

Et qu'y a-t-il derrière elle ? Un énorme chien, aussi gros que la maîtresse ! Un énorme chien aux longs poils blancs et aux yeux très doux ! Un énorme chien qui remue la queue

« C'est mon chien ! Il s'appelle Peti-toutou ... Il comprend tout ce qu'on lui dit et si vous voulez, il vous fera faire un tour sur son dos !

— Oh oui ! s'écrient les enfants. Maîtresse, on peut y aller ?

— Bien sûr ! »

Depuis ce jour-là, le grand François ne se moque plus jamais de Lucie.

La maîtresse a même promis qu'un jour, Petitoutou pourrait revenir à l'école ! Et Lucie montrera encore à ses copains, comment on devient acrobate ou équilibriste, debout sur le dos d'un chien !

Vraiment, quelle drôle de petite fille !

d'un côté, de l'autre ... si fort qu'on dirait l'hélice d'un hélicoptère !

Lucie se met à rire et à parler, par-ler, parler :

La galette volante

Mathilde de la Cuillère, la plus extraordinaire des cuisinières, est en train de préparer une galette : une superbe galette des Rois.

Personne n'a jamais vu de galette dorée aussi grande : c'est une vraie galette géante !

« Incroyable ! s'écrie son voisin Robert Poivrière.

— Incroyable ! Incroyable ! » répètent Mamie Fourchette et sa petite-fille Juliette.

Mathilde de la Cuillère est très fière de son œuvre. Mais Juliette fait quelques pas et elle lui chuchote à l'oreille :

« Avez-vous mis une fève à l'intérieur ? »

La cuisinière sursaute : calamité ! Elle a oublié ! Une galette sans fève, c'est comme un roi sans couronne, un escalier sans marches, un balai sans manche...

« Impardonnable... Je suis impardonnable ! gémit la cuisinière désespérée.

— Ne pleurez pas, dit Juliette à voix basse. J'en ai une dans ma poche... Je vais l'enfoncer dans la galette sans que personne s'en aperçoive. D'accord ?

— D'accord » murmure Mathilde de la Cuillère.

D'où vient donc cette fève ?

Juliette ne s'en souvient plus très bien. L'a-t-elle trouvée dans le grenier de sa grand-mère ou dans sa collection de « trucs extraordinaires » ?

La petite fille hausse les épaules : ça n'a aucune importance... Et elle rejoint la cuisinière.

Aussitôt dit, aussitôt fait : la petite fille place discrètement la fève blanche dans l'énorme galette.

Quelle fève étrange : en forme de croissant de lune, brillante comme le soleil ; lançant parfois des étincelles.

Mathilde de la Cuillère et ses amis sont en train d'admirer la galette, quand tout à coup, celle-ci commence à trembler.

« Votre galette a la tremblote ? s'étonne Robert Poivrière. L'auriez-vous remplie de pois sauteurs ? »

Surprise, la cuisinière hoche la tête : non, pas de pois sauteurs, de petits pois, de poissons ni de poison !

Lentement, la galette se met à tourner, tourner sur elle-même.

« Votre galette a la bougeotte ? s'amuse Robert Poivrière. Auriez-vous caché un gros moteur à l'intérieur ? »

Inquiète, la cuisinière hoche la tête : non pas de moteur, de moto ni de menteur !

La galette tourne de plus en plus vite. De temps en temps, elle se soulève un peu puis elle retombe sur la grande table.

« Votre galette virevolte ? interroge Robert Poivrière. Serait-ce un hélicoptère ? »

La cuisinière ne répond pas. Elle ne comprend pas. Sa galette est ensorcelée !

Soudain, l'énorme galette s'élève au-dessus de la table.

« Attrapez-la ! Retenez-la ! » ordonne Mathilde de la Cuillère agrippée au gâteau.

« On la tient ! On la tient ! » s'écrient aussitôt Robert, Juliette et Mamie Fourchette, à plat ventre sur la galette.

Tout à coup, la galette géante s'envole dans un tourbillon, emportant vers le ciel la cuisinière, Robert, Juliette et Mamie Fourchette.

« Incrou incra incroyable... » bredouille Robert Poivrière ahuri.

Il jette un coup d'œil vers la terre : la galette survole les arbres et les maisons ! Robert devient tout vert et il bafouille :

« J'ai le ver ver ver...

— Quel ver ? s'impatiente Mathilde. Un ver de terre ? Il n'y a jamais eu de ver dans mes gâteaux !

— Non le ver ver ver... gémit Robert.

— Un verre en verre ? s'étonne Mamie Fourchette. Désolée, nous n'avons rien à vous offrir à boire dans un endroit pareil. »

Robert Poivrière ferme les yeux. Il se cramponne au bord du gâteau.

Il ne bouge plus ni un doigt, ni un orteil.

« Mais qu'avez-vous ? s'inquiète Mathilde.

— J'ai le vertiiiiiiige... »

Pauvre Robert ! Quand il grimpe sur un escabeau ou un tabouret, il ne peut pas regarder le sol, sa tête tourne, une peur horrible lui tortille l'estomac, lui crispe la mâchoire et lui noue le fond de la gorge ! Alors là, à plat ventre sur une galette volante, il a l'impression que sa dernière minute de vie est arrivée !

« Pauvre Robert, dit gentiment la cuisinière. On ne peut rien faire pour vous... Pas moyen de diriger cette galette qui n'en fait qu'à sa tête ! Il faut pourtant trouver le moyen de redescendre sur la terre. »

Mathilde de la Cuillère hoche la tête : que s'est-il donc passé ? Elle a pourtant utilisé la même recette que d'habitude.

« Je n'ai rien changé... La même farine, le même sucre, le même beurre, les mêmes œufs...

— Si, quelque chose a changé ! dit soudain Juliette. La fève ! »

La fève ? Et si c'était la fève qui avait ensorcelé la galette ? La petite fille décide aussitôt de la retrouver :

« J'avais placé la fève de ce côté-là. Aidez-moi à grignoter le bord de la galette.

110

— Quoi : grignoter ma galette ? sursaute Mathilde. Jamais ! »

Mais à cet instant, la galette vire de bord et les passagers manquent de tomber.

« Je suis mort ! s'écrie Robert Poivrière, plus vert qu'un concombre.

— Pas encore ! » lui dit Juliette.

Alors la cuisinière, Mamie Fourchette et sa petite-fille grignotent grignotent grignotent le bord de la délicieuse galette. Mais pas la moindre fève ! Se serait-elle évanouie, envolée, évaporée ?

Tout à coup, Juliette aperçoit le croissant de lune qui lance des étincelles. Avec précaution, elle le retire du gâteau. Puis elle l'enveloppe dans un mouchoir et elle le range dans sa poche.

Comme si elle avait perdu un étrange moteur, la galette volante ralentit. Elle plane lentement au-dessus d'un grand bois.

« On va sé … On va sé … bredouille Robert Poivrière.

— Vassé : qu'est-ce que c'est ? s'impatiente Mathilde.

— On va s'écra... On va s'écra...

— Vassécra ? s'étonne Mamie Fourchette. C'est le nom de cette forêt ?

— On va s'écraser... » gémit le pauvre Robert.

Mais non ! La galette se pose doucement sur la cime des grands arbres et Mathilde de la Cuillère soupire :

« On ne pourra jamais descendre mon gâteau sans le casser en petits morceaux... Quel dommage !

— Et si l'on tirait les rois ici ? propose Juliette.

— Ici ? s'exclame Robert Poivrière horrifié.

— Ici ? Bonne idée ! » approuve Mamie Fourchette.

Aussitôt Juliette saute de branche en branche. Elle court inviter les animaux de la forêt et les habitants des alentours. Peu après, tous se retrouvent au sommet des grands arbres pour partager la galette géante.

La petite fille leur montre la fève brillante et elle annonce :

« C'est moi qui ai trouvé la fève !

— Qui sera ton roi ? » demande Mamie Fourchette.

Juliette hésite un peu. Elle se tourne vers Robert Poivrière qui a enfoui son visage dans son pull-over.

Sur la pointe des pieds la petite fille s'approche de lui et elle pose une mini-couronne sur sa tête :

« Vive le roi Robert ! » crie-t-elle.

Du coup, Robert Poivrière ouvre les yeux. Il en oublie son vertige et il accepte en souriant la part de galette que lui tend Juliette.

Et la fève : que deviendra-t-elle ? La petite fille va la ranger dans sa collection de « trucs extraordinaires »... mais plus jamais, elle ne la glissera dans une galette, même un jour de fête !

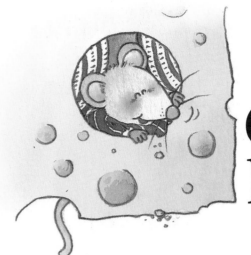

Coulinette la souris

Coulinette est une souris coquette. Elle vit dans un morceau de gruyère avec ses amies, des souris blanches et des souris grises.

Quand elle a faim, elle croque un bout de mur ou elle grignote le plancher ... pas besoin de se fatiguer !

Ce matin, Coulinette s'éloigne sur le chemin. Un peu plus loin, elle rencontre un gros rat affamé qui demande d'une grosse voix :

« Comment t'appelles-tu et où vas-tu ? »

La souris lisse ses moustaches et elle pousse trois petits cris :

« HI HI HI !

C'est moi Coulinette !

Je vais à la fête !

Si tu veux, viens avec moi ...
C'est par là ! C'est par là ! »

Mais le gros rat affamé grince des dents et répond :

« Ma fête à moi, ce sera ici, car je vais te croquer toute crue, petite souris ! »

Aussitôt, Coulinette s'enfuit à toute vitesse. Elle court court court jusqu'à ce qu'elle ne voie plus le rat aux dents pointues.

Ouf ! Ça y est : elle est sauvée.

Non ! Car quelqu'un d'autre la regarde passer. C'est Mité, le chat rayé, qui agite la queue et demande en miaulant :

« Miaou ! Comment t'appelles-tu et où vas-tu ? »

La souris cligne des yeux et elle pousse trois petits cris :

« HI HI HI !

C'est moi Coulinette !

Je vais à la fête !

Si tu veux, viens avec moi …

C'est par là ! C'est par là ! »

Mais Mité le chat rayé, fait le gros dos et répond :

« Ma fête à moi, ce sera ici, car je vais te croquer toute crue, petite souris ! »

Aussitôt, Coulinette s'enfuit à toute vitesse. Elle court court court jusqu'à ce qu'elle ne voie plus le chat à la fourrure rayée.

Ouf ! Ça y est : elle est sauvée.

Non ! Car une ombre la guette : c'est Ernestine, la vieille chouette, qui demande en claquant du bec :

« Comment t'appelles-tu et où vas-tu ? »

La souris dresse ses oreilles et elle pousse trois petits cris :

« HI HI HI !

C'est moi Coulinette !

Je vais à la fête !

Si tu veux, viens avec moi …

C'est par là ! C'est par là ! »

Mais la vieille chouette secoue ses plumes et répond :

« Ma fête à moi, ce sera ici, car je vais te croquer toute crue, petite souris ! »

Aussitôt, Coulinette s'enfuit à toute vitesse.

Elle court court court jusqu'à ce qu'elle ne voie plus Ernestine, la vieille chouette.

Vite, elle se glisse sous une barrière et se retrouve … devinez où !

Juste derrière la maison-gruyère !

Ouf ! Ça y est : elle est sauvée.

Alors la souris pousse trois petits cris et elle se met à chanter :
« HI HI HI !
C'est moi Coulinette !
La souris coquette !
Ma fête, ce sera ici !
Coucou ! C'est moi, les amis ! »

Cache-cache

Fabien et Marine voudraient bien faire une farce à leur maman.

Soudain Marine a une bonne idée :

« Si on se cachait ?

— D'accord, chacun sa cachette ! » décide son frère.

Aussitôt dit, aussitôt fait, tous les deux disparaissent et ils attendent sans bouger l'arrivée de leur maman.

Chut ! La voilà qui s'approche … Elle pousse la porte de la chambre et elle appelle :

« Fabien ! Marine ! Où êtes-vous ? »

Personne ne répond ! Pas le moindre petit bruit …

« Fabien ! Marine ! C'est bizarre … Ils ne se sont pourtant pas envolés, ni transformés en fumée ! » s'étonne maman.

Dans leur cachette, Fabien et Marine se retiennent pour ne pas éclater de rire, pendant que maman regarde de tous les côtés :

« C'est bizarre … Personne sous le lit ! Ils ne sont quand même pas partis dans un trou de souris ! »

Maman soulève le tapis : pas de Fabien !

Maman écarte les rideaux : pas de Marine !

« Fabien ! Marine ! Mais où êtes-vous donc ? Ni dans la boîte à cubes ni dans le berceau de la poupée ! Ce n'est pas possible … Est-ce qu'un sorcier les aurait fait disparaître d'un coup de baguette magique ? »

Tout à coup Maman aperçoit une bosse sous la couverture du lit de Fabien :

« Oh oh … On dirait qu'un petit animal s'est endormi ici ! Oh oh … C'est peut-être un ourson ou un bébé tigre ? »

Maman tâte la bosse avec la main :

« Oui ! Ça a bien la forme d'un ourson … Comment a-t-il pu entrer dans la maison ? J'avais pourtant fermé la porte … C'est sans doute un ours volant qui s'est glissé par la fenêtre entrouverte … »

Maman soulève doucement la couverture et que voit-elle dessous ?

Un bébé ours ? Pas du tout !

« Mais c'est Marine ! Ça alors, quelle bonne farce ! »

Marine éclate de rire. Sa maman la prend dans ses bras et elle lui chuchote à l'oreille :

« Fabien a disparu ! Je me demande vraiment où il est parti … »

Tiens, la porte bouge toute seule … Il n'y a pourtant pas de vent dans la chambre !

« Oh oh … C'est peut-être un fantôme ? »

Maman s'approche de la porte sur la pointe des pieds, elle la tire lentement et que découvre-t-elle derrière ? Un fantôme tout blanc ? Pas du tout !

« Mais c'est Fabien ! Quelle bonne farce ! »

Fabien, Marine et leur maman se mettent à rire, à rire sans s'arrêter … C'était vraiment une bonne idée de se cacher !

Aurélie et ses robots

Aurélie a la passion des robots : des petits, des gros ; des robots transformables en avion, en téléphone, en vaisseau spatial ou en hélicoptère !

Le matin, sur la table du petit déjeuner, Aurélie installe Bobo le plus rigolo de tous ses robots.

« Attention ! dit son père. Tu vas renverser ton bol ! Je t'ai déjà dit de ne pas jouer en mangeant. »

Mais Aurélie n'a rien entendu. Elle imagine Bobo traversant Roboville à la vitesse de l'éclair. ZZZzzzzz…

Paf ! Le robot rigolo heurte le bol et le chocolat au lait se retrouve sur la table.

« Je ne l'ai pas fait exprès » ronchonne Aurélie.

Comme tous les matins, Papa attrape l'éponge et il essuie la table trempée. Il hoche la tête et il grogne, très mécontent :

« Je vais finir par mettre tous ces robots à la poubelle ! »

119

Aurélie se bouche les oreilles et soupire : ah ! Si elle vivait à Roboville, elle aurait beaucoup moins d'ennuis !

Maintenant, il est l'heure d'aller à l'école. Aurélie glisse Bibi, le robot jaune et gris, au fond de son cartable. À la récréation, elle le montrera à ses amis.

« Et ton livre de lecture ? » demande son père.

Ah c'est vrai ! Le livre est resté sur son lit. Papa n'a plus qu'à aller le chercher. De nouveau, il hoche la tête et il grogne, très mécontent :

« Je vais finir par mettre tous ces robots à la poubelle ! »

Furieuse, Aurélie serre les dents et elle soupire : à Roboville, il n'y a pas d'école ; c'est bien plus pratique comme ça ! D'abord, les robots n'ont pas besoin d'apprendre. Ils connaissent tout par cœur.

Ça y est : Papa a récupéré le livre de lecture. La petite fille rejoint enfin ses amis dans la cour de récréation.

« Oh ! s'écrie son copain Sylvain. Tu as mis tes chaussures à l'envers ! Tu es vraiment dans la lune ! »

Mais la petite fille s'en moque : elle imagine le grand combat des robots fous. À Roboville, pas besoin de chaussures ! Les robots ont des pieds-souliers !

Elle n'a plus qu'une envie : aller vivre sur une autre planète, sans maîtresse qui pose des questions idiotes, sans parents qui rouspètent tout le temps... sur une autre planète où elle ne ferait que ce qu'elle voudrait !

Le soir venu, Aurélie plonge dans la baignoire. Que c'est rigolo de promener le robot Naimepalo dans son mini-bateau !

« T'es-tu savonnée ? » demande sa mère.

Aurélie soupire et regarde le plafond. Elle en a vraiment assez de vivre dans cette maison. Savi savon, pas question ! À Roboville, on ne se lave pas... sinon on rouille !

Et comme tous les soirs, Maman finit par prendre elle-même le gant et le savon à la mandarine.

Après le dîner, la petite fille se glisse dans son lit : chic ! Elle va enfin pouvoir s'amuser !

Papa et Maman l'embrassent et lui souhaitent une bonne nuit :

« Fais de beaux rêves, murmure son père.

— Et dors très vite, chuchote Maman.

— Oui oui, bonne nuit ! » dit Aurélie.

Mais la petite fille a glissé trois robots sous son oreiller. Elle n'a vraiment pas envie de s'endormir tout de suite. À Roboville, il n'y a pas de parents mais seulement un grand chef, le Biri-Boro. On y fait tout ce qu'on veut sans fermer les yeux...

Sans fermer les yeux... mais parfois les yeux se ferment tout seuls et Aurélie fatiguée finit par s'endormir.

Cric crac cric crac... Aussitôt, ses robots se redressent.

« Suis-nous ! ordonne Bibi.

— Où allez-vous ? s'étonne Aurélie.

— À Roboville ! » fait Bobo le rigolo.

La petite fille saute de son lit et enfile ses chaussettes.

« Dépêche-toi : le grand chef Biri-Boro nous attend ! s'énerve Bobo.

— J'ai froid aux pieds... » proteste Aurélie.

Cric crac cric crac : tous les robots se mettent en marche.

Cric crac cric crac : Roboville n'est plus loin. Par terre s'étendent de larges flaques de chocolat au lait.

« Mes chaussettes sont trempées, pleurniche Aurélie.

— C'est normal, explique Bibi. A Roboville, on est obligé de renverser par terre son bol de petit déjeuner.

— Sinon ? s'inquiète la petite fille.

— Sinon on reçoit trois coups de bâton sur le dos ! » dit Bobo.

Cric crac cric crac : les trois robots poursuivent leur route.

Zip ! Un peu plus loin, Aurélie glisse sur le sol et plonge la tête la première sur une énorme tartine de confiture.

« Je suis toute collée, dit-elle. Je voudrais un morceau de savon.

— Savi savon, pas question ! s'écrie le grand chef Biri-Boro. Du savon ? Qu'est-ce que ça veut dire ? Ici, c'est interdit de se laver !

— Sinon ? s'inquiète la petite fille.

— Sinon on reçoit trois coups de bâton sur le dos ! » dit Bobo.

Et Aurélie s'essuie comme elle peut dans son pyjama.

CRIC CRAC CRIC CRAC : c'est le

défilé des robots transformables !

Aurélie avance à grands pas dans les flaques de chocolat.

« Je suis fatiguée, chuchote-t-elle. Je voudrais m'allonger.

— Interdit de dormir ! gronde Biri-Boro.

— Sinon ?

— Sinon on reçoit trois coups de bâton sur le dos ! »

La petite fille en colère fait demi-tour. Elle croise les bras et s'assied par terre. Puis elle ferme les yeux et s'endort aussitôt.

Au lever du jour, Aurélie aperçoit son oreiller, son lit, sa chambre, bien loin de Roboville.

« Est-ce que j'ai rêvé ? » s'étonne-t-elle.

Ses robots sont là, à la même place qu'hier soir... mais elle a l'impression d'avoir les mains un peu collantes.

« Je crois qu'à Roboville, ce n'était pas si bien que ça... » sourit Aurélie.

Et elle lance un clin d'œil à Bobo, le plus rigolo de tous ses robots.

Le prince qui n'avait pas de nom

Il était une fois un roi nommé Fénélon. C'était un roi très bon, mais il ne pouvait jamais prendre une décision. Sa femme, la reine Isabelle, devait toujours tout décider à sa place.

« Que mettre en premier ? demandait chaque matin Fénélon. Le soulier droit ? Non, le soulier gauche ! Et si je mettais le soulier droit ?

— Disons le gauche, proposait la reine Isabelle.

— Oui, vous avez mille fois raison ! » approuvait le roi, qui sinon serait sorti nu-pieds du palais.

Après plusieurs années, la reine Isabelle mit au monde un ravissant petit garçon. Comment l'appellerait-on ?

« Fénélon comme moi ! s'écria le roi. Non ! Philippon ... Cornichon ... Papillon ... Pantalon ... Non ! »

Lentement les saisons se succédèrent : printemps, été, automne, hiver …

Quand le petit prince souffla sa première bougie, le roi Fénélon et la reine Isabelle n'avaient pas trouvé de prénom pour leur joli petit garçon.

Alors le roi envoya mille cavaliers faire le tour de la terre, mille cavaliers à la recherche de prénoms.

L'année suivante, les cavaliers revinrent :

« Tchin'tchin', proposa le cavalier revenant du Japon.

— Asdepic, dit celui arrivant de Russie.

— Eskimo-glacé ! Moustico ! Pédalo ! Pompavélo !

— Spaghetti comme en Italie ! »

Le roi et la reine hochèrent la tête, découragés : non ! Trois fois non ! Ils n'aimaient pas ces prénoms !

Alors le savant du royaume passa des journées entières, plongé dans d'énormes livres :

« Choisissez votre prénom ! »

« Dictionnaire des prénoms ! »

Mais à chaque proposition : Nestor, Hector, Toréador … le roi se mettait en colère et répétait : « Non ! Non ! Trois fois non ! »

Un matin, le petit prince se promenait avec sa nounou, quand soudain … un homme arriva au galop. Un homme masqué, coiffé d'un grand chapeau !

« Au secours ! » hurla la nourrice affolée.

Trop tard : l'homme repartit aussi

vite qu'il était venu, emportant avec lui le petit Prince-sans-nom.

Au palais, tout le monde se désolait. Le roi Fénélon roulait des yeux de poisson. La reine et la nounou gémissaient, le nez dans leurs mouchoirs. Et les cuisiniers du château pleuraient tellement dans leurs sauces, dans leurs gâteaux ... que tout était trop salé !

Les années s'écoulèrent et les habitants du palais finirent par oublier le petit Prince-sans-nom.

Seuls le roi Fénélon et la reine Isabelle gardaient un petit espoir, enfoui au fond de leur cœur ... Un jour peut-être, leur petit prince reviendrait.

Le cavalier masqué détestait le roi ; c'est pourquoi il avait emporté le petit garçon de l'autre côté de la terre. Là-bas, le prince grandit, élevé dans une chaumière par Marie, une femme aux cheveux gris.

Les saisons se succédèrent : printemps, été, automne, hiver ...

Quand il eut vingt ans, le Prince-sans-nom voulut parcourir le monde. Il prit son épée, il embrassa la vieille Marie en lui promettant de revenir et il s'en alla sur les chemins.

Au détour d'un sentier, il rencontra un vieil homme qui marchait avec difficulté.

Le Prince-sans-nom le prit sur son dos.

« Tu m'as porté ... À mon tour, je te porterai » dit le vieil homme et il se transforma en un superbe cheval blanc à la crinière d'argent.

Sans hésiter, le Prince-sans-nom sauta sur le cheval et poursuivit sa route vers le nord.

Il traversait un pays de glace, quand un grognement sinistre retentit : un terrible ours blanc s'apprêtait à dévorer une petite fille. D'un coup d'épée, le prince transperça l'animal.

La petite fille chuchota alors :

« Suis-moi ! » et elle se transforma en un grand oiseau noir et blanc.

L'oiseau volait là-haut dans le ciel gris. Le cheval blanc trottait sans bruit. Depuis des semaines, ils avaient traversé des forêts, franchi des torrents, découvert des grottes étranges et des vallées fleuries.

Le prince longeait maintenant une rivière quand il entendit un cri : une jeune fille aux longs cheveux était en train de se noyer …

Le Prince-sans-nom plongea dans l'eau et peu après, il déposa la jeune fille sur la rive.

« Prince Johan, murmura-t-elle.

— Johan ? Vous devez faire erreur.

— Oh non, depuis si longtemps, je t'attendais … fit la jeune fille. Le grand savant avait raison. »

Le prince écarquilla les yeux et la jeune fille poursuivit :

« Le grand savant avait prédit que Johan, fils du roi Fénélon et de la reine Isabelle, reviendrait un jour sur un cheval blanc à la crinière d'argent. Cette nuit encore, j'ai rêvé de toi … Johan, je te reconnais ! Le cheval va nous conduire jusqu'au palais de tes parents. »

Tous deux s'assirent sur le cheval blanc qui les emporta plus vite que le souffle du vent.

La reine Isabelle et le roi Fénélon regardaient tristement l'horizon.

Les vingt années écoulées avaient ridé leur visage et blanchi leurs cheveux.

« Là-bas un cheval blanc ! s'écria la reine Isabelle.

— Avec une crinière d'argent, comme dans la prédiction ! ajouta le roi Fénélon. Allons-y … Heu non … Restons ! »

Déjà le cheval blanc s'arrêtait devant le palais.

La reine Isabelle était si émue qu'elle ne pouvait parler.

Le roi tenait la main du prince Johan et il murmura :

« Nous allons donner une grande fête … Heu non …

— Si, une merveilleuse fête ! » approuva la reine Isabelle.

Quelques jours plus tard, le prince Johan épousa la belle Gladys.

Pendant trois jours et trois nuits, la musique et les danses ne s'arrêtèrent pas.

« Il est temps de prendre une décision, dit le roi Fénélon.

— Vous avez mille fois raison, fit la reine Isabelle.

— Je suis vieux à présent. Toi, mon fils, tu seras désormais le nouveau roi du pays. »

C'est ainsi que Johan trouva un nom, ses parents et un royaume. Il fit venir la vieille Marie ; il installa même sa chaumière au fond du jardin, car elle n'aimait pas beaucoup les palais dorés.

Et quand la reine Gladys mit au monde un petit garçon, on l'appela … sans la moindre hésitation : Fénélon !

Le cerf-volant

Thibault a un beau cerf-volant rouge et blanc. Aujourd'hui, comme il y a du vent, son papa lui propose d'aller le faire voler dans le grand champ :

« Je t'aiderai un peu, mais c'est toi qui tiendras la ficelle, d'accord ? » dit papa.

Thibault est ravi. Il pourra montrer son cerf-volant à son cousin Jules et sa cousine Julie, qui habitent tout près de chez lui.

Dehors, le vent souffle très fort. Ffff : c'est une vraie tempête !

Quand Thibault et son papa arrivent au bord du champ, Jules et Julie sont déjà là :

« Oh Thibault ! Quel beau cerf-volant … Tu nous le prêteras ?

— Tout à l'heure ! » promet le petit garçon.

Papa déroule la ficelle du cerf-volant … Zip ! Celui-ci s'envole aussitôt …

« Attention Thibault ! crie papa. Tiens bien la ficelle ! »

Mais il y a trop de vent et le petit garçon a bien du mal à retenir son cerf-volant :

« Papa ! Aide-moi ! »

Catastrophe ! Voilà Thibault qui décolle ! Vite papa saute et il saisit lui aussi la ficelle !

Ça alors : Thibault et son papa s'envolent tous les deux au-dessus du champ !

Le vent souffle de plus en plus fort … Jules et Julie attrapent eux aussi la ficelle du cerf-volant rouge et blanc !

Ça alors : Thibault et son papa, le cousin Jules et la cousine Julie s'envolent au-dessus du champ !

Monsieur Sifflet, l'agent de police, passant par là les aperçoit. Il bondit sur la ficelle ! Mais le vent rugit comme une machine à vapeur : FFFF ….

Ça alors : Thibault et son papa, le cousin Jules et la cousine Julie, l'agent de police qui souffle dans son sifflet, s'envolent au-dessus du champ !

Attirée par le bruit, la maîtresse mademoiselle Célestine se précipite. Elle attrape la ficelle du cerf-volant rouge et blanc …

Ça alors : Thibault et son papa, le cousin Jules et la cousine Julie, l'agent de police et mademoiselle Célestine s'envolent au-dessus du champ !

Où le vent va-t-il les emporter ? Heureusement, la tempête se calme peu à peu. Les drôles d'oiseaux se retrouvent assis dans l'herbe, tenant toujours la ficelle à la main !

Thibault et son papa, le cousin Jules et la cousine Julie, l'agent de police et mademoiselle Célestine

applaudissent à qui mieux mieux :

« Vive les voyages en cerf-volant : ça rend heureux ! »

Le vent s'arrête enfin de souffler et le cerf-volant rouge et blanc se pose doucement. Thibault prend la main de son papa et il murmure :

« Tu sais, mon cerf-volant, c'est le plus fort du monde ! La prochaine fois, il nous emportera tous en voyage et on fera le tour de la terre plus vite qu'un hélicoptère ! »

La planète du Silence

Il y a une planète perdue au milieu de l'espace : elle s'appelle la planète du Silence. On n'y entend pas le moindre bruit ... Chut ! Les oiseaux ne savent pas siffler ; le vent souffle en silence et l'orage ne gronde jamais.

Sur la planète du Silence, on n'ouvre que rarement la bouche, en chuchotant de temps en temps ... Chut !

Dans une drôle de maison recouverte de coton vit un petit bonhomme au nez pointu. Il s'avance sur la pointe de ses chaussures en caoutchouc ... Mais aujourd'hui, catastrophe ! Picolo le petit homme est

lèvres et jamais ! vraiment jamais, on ne chuchote de gros mots !

Pauvre Picolo ! Le voilà avec son nez rouge, assis tout seul dans la rue. BRRROUM ! Tiens, quel est ce bruit bizarre ? Picolo lève la tête et il aperçoit tout là-haut entre deux nuages : un hélicoptère qui traverse le ciel et se pose sur la planète du Silence.

Picolo n'a jamais vu ça ! Picolo n'a jamais entendu ça !

La porte de l'hélicoptère s'ouvre et deux enfants sautent sur le sol :

« Bonjour ! crient-ils. On s'appelle Flore et Guy … Et vous, comment vous appelez-vous ? »

Horrifié, Picolo se bouche les oreilles et il répond :

enrhumé et il ne fait qu'éternuer ! ATCHOUM ! ATCHOUM ! ATCHOUM !

« Chut ! chut ! protestent ses voisins.

— ATCHOUM ! Mais je n'y peux rien … ATCHOUM ! »

Furieux, les voisins de Picolo lui ordonnent de s'éloigner :

« Va plus loin ! murmurent-ils. Tu nous casses les oreilles ! »

Picolo saisit un grand mouchoir blanc et il s'éloigne en serrant les dents. Sur la planète du Silence, on ne supporte pas le bruit ! On ne rit jamais, on sourit juste du bout des

« Chut ! Vous êtes fous ! Ici personne n'a le droit de parler … ATCHOUM !

— Mais on peut éternuer ? demande Flore.

— À peine, chuchote Picolo. ATCHOUM … Mais je n'arrive pas à m'en empêcher. »

Guy se met à rire aux éclats.

« Chut ! interrompt le bonhomme au nez pointu. Ici, personne n'a le droit de rire … ATCHOUM !

— Mais on peut éternuer ? » dit encore Flore.

Picolo hoche la tête : il n'a jamais vu des enfants pareils. Ils font du bruit, ils dansent, ils frappent dans leurs mains …

« Savez-vous jouer de la musique ? demande Guy.

— De la quoi ? s'étonne Picolo.

— Savez-vous chanter des refrains magiques ? ajoute Flore.

— Des quoi quoi ? » bégaie le drôle de bonhomme.

Flore et Guy soupirent : la vie n'est vraiment pas gaie sur cette planète. Et s'ils emmenaient le monsieur au nez pointu avec eux ?

« Ça vous plairait de découvrir notre planète la Terre : un monde où les oiseaux sifflent dès le lever du jour, où le vent chante entre les branches et les roseaux ? » proposent les deux enfants.

Picolo ouvre de grands yeux. Il fait oui de la tête sans hésiter.

Alors Flore et Guy le prennent par la main et le font monter dans leur hélicoptère.

« Si ça me plaît, je reviendrai raconter mon voyage à tous mes amis de la planète du Silence », décide le bonhomme au nez pointu.

Et il se met à parler, parler, parler ... comme il ne l'a jamais fait. Il chante, il danse, il applaudit et il pousse un grand cri de joie qui résonne dans tout le pays.

Le diablotin qui avait peur du feu

Saturnin était un diablotin tout rouge, avec deux petites cornes et une longue queue fourchue. Il portait une salopette verte et une paire de baskets.

Il vivait avec les autres diables dans un volcan : le Gouffre de Satan. En été comme en hiver, il y brûlait un feu d'enfer. Les diablotins sautaient à pieds joints par-dessus les flammes. D'autres dansaient, cabriolaient en riant.

Seul Saturnin restait à l'écart : il avait peur du feu. Il avait horreur du feu !

Quand il était encore un tout petit diable de rien du tout, il s'était brûlé le bout de sa queue fourchue : ouille ouille ouille ! Diabli ! Diablouille ! Depuis ce jour-là, il avait juré qu'il ne toucherait plus jamais une allumette ou un briquet.

Un matin de juillet, il faisait particulièrement chaud dans le Gouffre de Satan. Saturnin transpirait à grosses gouttes et il répétait :

« Je déteste le feu, je déteste déteste déteste la chaleur … Je n'aime que le froid et les glaces au chocolat ! »

Alors le diablotin décida de partir vers le pôle Nord. Il prépara son sac à dos, escalada les parois du volcan et s'en alla.

Un peu plus loin, il cueillit de larges feuilles d'arbre et fabriqua une superbe montgolfière.

Puis il souffla, souffla, souffla … et l'énorme ballon, rempli d'air chaud, s'envola.

Pendant plusieurs semaines, Saturnin survola des montagnes et des ravins, des continents et des océans … Un jour enfin, il aperçut des icebergs : de gigantesques blocs de glace qui flottaient à la surface de la mer.

« Chic ! Mon voyage est terminé ! » déclara le diablotin et il fit atterrir sa montgolfière.

Les animaux du voisinage n'en revenaient pas :

« Il a l'air toc toc ! se moqua un phoque.

— Atroce ! ajouta un morse féroce.

— Je dirais plutôt appétissant ! » fit un ours blanc en se léchant les babines.

Saturnin les regarda, étonné : personne ne lui souhaitait la bienvenue ?

« Bande de mal élevés ! cria-t-il.

— Cet étranger ose nous insulter ! hurlèrent le morse et le phoque. Qu'il retourne chez lui !

— Attrapons-le et croquons-le ! » ordonna l'ours mécontent.

Aussitôt les animaux furieux se ruèrent sur le petit diable. Zip … Saturnin détala comme un lapin.

Les cornes pointées vers l'avant, le diablotin fonça droit devant lui. Soudain, il se trouva au bord de la mer : plus moyen d'avancer !

« Je suis perdu … » gémit Saturnin.

En effet, ses poursuivants n'étaient plus qu'à quelques mètres …

« Grimpe vite ! » dit une voix.

Le diablotin se retourna : derrière lui se trouvait un petit Esquimau dans son kayak. Sans hésiter, Saturnin sauta dans le bateau, qui s'éloigna de la rive à toute vitesse.

« Je vais le rattraper à la nage, gronda le morse.

— Je vais plonger et faire chavirer le canoë, proposa le phoque.

— Non ! Abandonnons ! décida l'ours polaire en colère. Cet Esquimau glacé a peut-être un fusil sur lui. »

Et les poursuivants déçus firent demi-tour.

Mok, le petit Esquimau, conduisit le diable rouge à son village, là-bas sur la banquise. Il lui montra un gros igloo :

« Tu vois : j'habite dans cette maison de glace.

— De la glace ? Chic ! fit Saturnin.

— Il n'y fait pas très chaud, ajouta Mok.

— Tant mieux ! dit le diablotin. J'adore le froid ! »

Mok aida Saturnin à construire un superbe igloo. Le diablotin peignit en rouge l'intérieur de sa nouvelle maison, en souvenir du volcan, le Gouffre de Satan.

Puis le petit diable fit la connaissance des parents et des cousins de Mok qui le félicitèrent :

« Bravo Saturnin ! Ta maison est la plus belle du village ! Sois le bienvenu dans notre famille ! »

Le diablotin sourit, ravi. Et dès le lendemain, il apprit à vivre comme son nouvel ami.

Quelques jours plus tard, Mok et Saturnin partirent à la pêche.

Le diable rouge dansait de joie car c'était sa première expédition.

Le petit Esquimau s'emmitoufla dans son anorak fourré. Le vent soufflait sur la banquise et les deux amis avançaient difficilement.

Enfin, Mok déposa son sac et il expliqua :

« Nous allons creuser un trou ici. Juste au-dessous de la glace coule une rivière. »

Sous l'œil intrigué de Saturnin, le petit Esquimau prit sa pelle et se mit au travail. Puis il lança une ligne dans le trou.

Tout à coup, le fil se tendit.

« Ça y est ! s'écria Mok. Un énorme poisson a mordu à l'hameçon ... Saturnin, vite, aide-moi ! »

Le petit diable fit un pas en avant, mais ... Trop tard ! Mok tomba dans la rivière la tête la première et il disparut sous la croûte de glace.

« Il va se noyer ! » s'inquiéta le diablotin.

Saturnin plongea aussitôt. Le courant de la rivière emportait déjà le petit Esquimau ...

Vite, le diable rouge le rattrapa. Il le tira juste au-dessous du trou et le hissa hors de l'eau gelée : Mok était devenu un véritable bloc de glace !

« Que faire ? Diabli diablouille ... que faire ? » répétait Saturnin en allongeant son ami sur la banquise.

Alors le diable rouge commença à souffler, souffler, souffler ... la glace fondit et Mok se réchauffa peu à peu.

« Que s'est-il passé ? » demanda le petit Esquimau, entrouvrant les yeux.

— Tu as dû pêcher un troupeau de baleines ! répondit le diablotin. Elles t'ont emmené visiter le fond de la mer ! »

Tous deux se mirent à rire.

Saturnin plaça son ami sur son dos et il le porta jusqu'au village.

« Mok ! Tu es trempé ! s'écrièrent ses parents affolés.

— Mouillé mais bien vivant, grâce à Saturnin qui m'a sauvé la vie ! » dit le petit Esquimau qui raconta aussitôt son aventure.

À partir de ce jour-là, Mok et le diablotin vécurent comme deux frères dans l'igloo peint en rouge, deux amis inséparables qui évitaient avec soin les troupeaux de baleines, les morses féroces, les phoques moqueurs et les ours blancs mécontents.

Si un jour vous apercevez sur la banquise, une drôle de bestiole rouge vêtue d'une salopette verte, un petit bonhomme à la longue queue fourchue qui bondit comme un cabri … Surtout ne vous inquiétez pas ! C'est Saturnin, le diablotin qui fait sa gym du matin !

Le parapluie

La pluie glisse sur les carreaux. Plic ploc : les gouttes sautent de branche en branche et atterrissent dans les flaques de la rue.

Jonathan et Virginie regardent par la fenêtre, en appuyant bien fort le nez contre la vitre ...

Tout à coup, Jonathan a une bonne idée :

« Mamie ! On peut aller jouer dehors ? »

Sa grand-mère ouvre de grands yeux :

« Tu es fou, mon petit bonhomme ! Il pleut depuis ce matin ...

— Oh Mamie ! On prendra le parapluie de grand-père ! » dit Jonathan.

Et Virginie applaudit :

« Oh, dis oui Mamie ! Avec le parapluie de grand-père, on ne sera pas mouillés du tout ! »

Mamie soupire et elle finit par accepter. D'ailleurs, Mamie dit toujours oui !

« Ne restez pas trop longtemps et mettez vos bottes et vos cirés ! »

Peu après, Jonathan et Virginie se retrouvent dehors sous le grand parapluie noir.

La pluie tombe à grosses gouttes.

« Dis Jonathan, si c'était un hélicoptère, notre parapluie ? propose Virginie.

— D'accord ! fait Jonathan. Attention au départ ! L'hélicoptère va décoller ! Tiens bien le manche, Virginie ! »

Brrroum … L'hélicoptère-parapluie s'envole plus haut que les nuages gris. En passant, Virginie et Jonathan font coucou de la main aux papillons, aux oiseaux et même aux gros avions !

Jonathan tourne le manche à gauche … à droite, et le parapluie lui obéit !

« Attention ! crie Jonathan. Notre hélicoptère va se transformer en vaisseau spatial … Tu es prête, Virginie ?

— Oui, vas-y ! »

Brrrrr … Le vaisseau spatial-parapluie traverse le ciel à toute vitesse. Il zigzague entre les étoiles, puis il se cache derrière la lune …

Virginie attrape le manche du parapluie et elle s'écrie :

« Le vaisseau spatial se transforme en parachute ... On redescend sur la terre ! Et on se retrouve dans la rue ! »

Jonathan jette un coup d'œil vers le ciel :

« Tiens il ne pleut plus ! On rentre à la maison ?

— D'accord ! On va goûter avec Mamie ! » ajoute Virginie.

Jonathan et Virginie se secouent comme deux petits chiens, puis enlèvent leurs bottes pleines de gadoue et leurs cirés trempés.

Leur grand-mère est étonnée :

« Vous ne jouez plus dehors ? Pourtant la pluie s'est arrêtée de tomber ...

— Justement Mamie ! explique Jonathan. On n'a plus besoin de l'hélicoptère-vaisseau spatial-parachute ... On va le ranger ... Mais on a fait un super-voyage !

— Ça c'est bien vrai ! » dit Virginie.

Pique-nique

Aujourd'hui Ticochon et son ami le perroquet Ricochet s'en vont pique-niquer dans la forêt.

Tout est prêt dans le panier : des sandwichs au saucisson et à la confiture de fraise ! Du gâteau au citron et du lait grenadine !

Ticochon porte le panier et Ricochet chantonne en volant au-dessus de sa tête :

« Un cochon, c'est tout rond ! Ça roule comme un ballon …

— Arrête de te moquer de moi ! » dit Ticochon grognon.

Clac clac : le perroquet claque du bec et il répète en criant à tue-tête :

« Moquer de moi ! Moquer de moi !

— Puisque c'est comme ça, décide Ticochon, je ne vais pas pique-niquer avec toi ! Je mangerai tous les sandwichs et le gâteau ! »

Et le cochon, très en colère, fait demi-tour.

« Attends-moi Ticochon ! Je ne recommencerai plus ! promet le perroquet. On n'a qu'à s'installer là près de ce gros rocher ! »

Ticochon et Ricochet font la paix et ils sortent le pique-nique du panier. Hum … Ils vont se régaler !

Mais une ribambelle de fourmis noires s'approchent à la queue leu leu :

« Vous n'auriez pas quelques miettes à nous offrir ?

— Bien sûr ! Venez déjeuner avec nous ! » répondent les deux amis.

Voilà le cochon, le perroquet et les fourmis qui pique-niquent en riant près du gros rocher.

Hop, un écureuil roux saute à côté du panier et il demande en agitant sa queue touffue :

« Il vous reste peut-être deux ou trois noisettes ?

— Des noisettes non, mais un sandwich au saucisson ! Viens déjeuner avec nous ! » proposent les deux amis.

Et voilà le cochon, le perroquet, les fourmis et l'écureuil qui piqueniquent en riant près du gros rocher.

Deux escargots s'avancent lente-ment. Un peu plus loin, c'est un lapin malin qui sautille sur le chemin et trois moineaux à la recherche de quelques grains !

« Venez déjeuner avec nous ! » disent Ticochon et Ricochet.

Et voilà le cochon, le perroquet, les fourmis et l'écureuil, les escargots, le lapin et les moineaux qui pique-niquent en riant près du gros rocher.

Que d'invités !

Ticochon regarde au fond du panier :

« Zut ! Il n'y a plus rien ! On a tout mangé !

— Zut zut zut ! On a tout mangé ! Tout mangé ! répète le perroquet. Tant pis : on reviendra demain ! »

Alors tous les animaux s'éloignent dans la forêt en disant :

« Merci ! Merci ! C'était le plus beau pique-nique de notre vie ! Merci Ticochon ! Merci Ricochet ! À demain ! »

Le cochon reprend le panier, son ami le perroquet volette au-dessus de sa tête … et tous les deux s'en retournent chez eux, en chantant à qui mieux mieux :

Pique pique pique-nique !
Quand on va pique-niquer,
on emporte son panier !
Pique pique pique-nique !
Et gare aux petits moustiques
qui viendront pour nous piquer !

Le petit coq

Il était une fois un petit vieux et une petite vieille. Ils avaient ramassé des glands dans la forêt et ils finissaient de les manger quand le dernier gland roula par terre et se coinça au pied d'un mur.

Peu après, il en sortit un chêne qui poussa, poussa, poussa jusqu'au plafond. Le petit vieux fit alors un trou dans le toit de la maison et le chêne poussa, poussa, poussa jusqu'au ciel.

« Grand-père, va cueillir des glands » dit la petite vieille.

Le petit vieux prit un sac et il grimpa au sommet de l'arbre. Mais que trouva-t-il là-haut ? Des glands ? Non, mais un coq avec une crête d'or, et un moulin. Le petit vieux mit le coq et le moulin dans son sac, puis il redescendit chez lui.

« Où sont donc les glands ? s'étonna la petite vieille.

— Il n'y en avait pas » dit le petit vieux qui montra à sa femme ce qu'il avait découvert.

Puis il tourna la manivelle du moulin qui grinça grrr, craqua crrr … et tout à coup, des dizaines de crêpes tombèrent sur la table.

« C'est bien meilleur que les glands ! » s'écria la petite vieille en embrassant son mari.

« Cocorico ! Cocorico ! Les crêpes : j'adore ! » ajouta le coq à la crête d'or.

Ainsi, tous les jours, le petit vieux, sa femme et le coq à la crête d'or se régalaient.

Longtemps après, un riche seigneur s'arrêta devant leur chaumière et il leur demanda à manger. La petite vieille lui servit quelques crêpes et elle lui raconta l'histoire du gland, du chêne et du moulin magique.

Le riche seigneur n'en croyait pas ses oreilles et il décida :

« Ce moulin magique sera à moi ! »

Sans plus attendre, il saisit le moulin et s'enfuit vers la ville.

Le petit vieux et la petite vieille se mirent à pleurer. Alors, le coq à la crête d'or sautilla sur la table et leur dit :

« Ne vous en faites pas. Je vous rapporterai le moulin. »

Aussitôt il s'envola à la poursuite du riche seigneur.

Quand le coq arriva au château du seigneur, il se mit à crier :

« COCORICO ! COCORICO ! Rends-moi le moulin magique ! »

Le seigneur attrapa le coq à la crête d'or et il le jeta dans un puits.

« Petit bec ! Petit bec ! fit le coq. Bois toute l'eau ! »

Et son bec but toute l'eau. Bientôt, il n'y eut plus une goutte d'eau dans le puits.

Le coq s'envola et il cria encore plus fort :

« COCORICO ! COCORICO ! Rends-moi le moulin magique ! »

Le seigneur s'empara de nouveau du coq à la crête d'or, et cette fois-ci, il le jeta dans le four où brûlait un grand feu.

« Petit bec ! Petit bec ! fit le coq. Reverse toute l'eau ! »

Et son bec reversa toute l'eau qui éteignit le feu.

Le coq s'envola et il cria aussi fort que le tonnerre :

« COCORICO ! COCORICO ! RENDS-MOI LE MOULIN MAGI-QUE ! »

Il cria si fort que le seigneur prit peur et qu'il s'enfuit à toutes jambes.

Le coq ramassa le moulin et il le porta jusqu'à la chaumière.

Depuis ce jour-là, le petit vieux, sa femme et le coq à la crête d'or se régalent de crêpes. Et quand ils partagent leur repas avec un voyageur, plus jamais ils ne racontent l'histoire du gland, du chêne et du moulin.

Robusto

Robusto était un robot extraordinaire : recouvert de métal doré, coiffé d'une casquette à triple antenne et portant autour du cou un collier de petits boutons de toutes les couleurs.

Robusto savait tout faire : mettre le couvert, débarrasser la table, cirer les chaussures, ranger une chambre en un clin d'œil ...

Il était vraiment EX-TRA-OR-DI-NAI-RE.

Il vivait dans une petite ville, bâtie au bord de la rivière Brille.

Un jour, il rencontra deux enfants : Sonia Carré et son petit frère Florian. Ces deux enfants avaient l'air si coquin que Robusto les suivit.

Florian et Sonia n'aimaient pas mettre le couvert, débarrasser la table, cirer les chaussures et encore moins ranger leur chambre !

Leur maman se mettait sans arrêt en colère ... mais les deux enfants n'obéissaient jamais.

Robusto les observa longuement, puis profitant de l'absence de madame Carré, il leur proposa quelque chose :

« J'ai peut-être une idée ...

Trouvez-moi une cachette dans votre maison et je vous aiderai à faire tout ce que vous détestez. »

Sonia et Florian n'en revenaient pas :

« Tu pourrais mettre le couvert à notre place ? demanda Sonia.

— Évidemment ! dit Robusto.

— Tu saurais débarrasser la table sans laisser de miette sur le plancher ? s'étonna Florian.

— Évidemment ! dit Robusto.

— Tu cirerais les chaussures sans étaler du cirage sur le carrelage de la cuisine ? fit la petite fille.

— Évidemment ! dit Robusto.

— Tu serais capable de ranger notre chambre en un clin d'œil et de faire nos deux lits ? ajouta le petit garçon.

— Évidemment ! dit Robusto. Mais il faudra m'aider quand même un petit peu. »

Sonia et son frère se mirent à danser de joie : bien sûr qu'ils aideraient le drôle de robot ! Ils étaient si contents qu'ils découvrirent immédiate-ment une superbe cachette où personne ne viendrait dénicher Robusto.

À partir de ce jour-là, le robot extraordinaire installa donc sa chambre tout au fond du placard du couloir, derrière l'aspirateur à trois moteurs.

Quand madame Carré n'était pas dans les parages, il sortait sans bruit de sa cachette et :

ZIP ... il mettait le couvert !

ZOUP ... il cirait toutes les chaussures de la maison !

ZAP ... il rangeait la montagne de jouets qui s'étaient accumulés dans la chambre de Sonia et de Florian. Mais il la rangeait vraiment. Il ne se contentait pas d'entasser des objets dans un coffre, de pousser des piles de livres sous les lits superposés ou de cacher des trésors dans la boîte à chaussettes.

ZUP ... il débarrassait la table, il lavait la vaisselle et il ne laissait jamais la moindre miette sur le plancher.

Madame Carré n'en croyait pas ses yeux :

« Que mes enfants sont ordonnés ! »

Et elle demandait à Sonia et à Florian :

« Que vous est-il arrivé ?

— Rien du tout, répondait Sonia.

— On a décidé de devenir sages ! » disait Florian.

Robusto n'aimait guère les mensonges. Chaque soir, avant de s'endormir, il venait souhaiter une bonne nuit à Sonia et à son petit frère et il répétait toujours la même phrase :

« Vous aviez promis de m'aider un peu …

— Demain ! Demain ! interrompait Sonia.

— Un jour, je m'en irai et vous ne me retrouverez plus jamais, ajoutait le robot.

— Pas possible, tu nous aimes trop ! » disait Florian en riant.

Les deux enfants l'embrassaient puis ils s'endormaient aussitôt.

Robusto regagnait son placard mais il avait le cœur gros.

Alors un jour, le robot en eut vraiment assez. Il décida de s'en aller sans prévenir personne, pendant que Sonia et Florian étaient à l'école.

Quelle mauvaise surprise pour madame Carré quand elle découvrit tout sens dessus dessous : les lits défaits, la chambre dans un tel état qu'on ne pouvait même pas y mettre un pied, la table de la cuisine couverte de confiture de groseilles, le carrelage disparaissant sous les miettes de pain … Une vraie catastrophe ! Elle en resta bouche bée.

À ce moment-là, la porte s'ouvrit : Sonia et Florian rentraient de l'école.

« Que s'est-il passé ici ? » cria madame Carré.

Les deux enfants ne répondirent pas. Ils s'assirent tristement sur un tabouret car ils venaient de comprendre : Robusto était parti !

« Il va sûrement revenir ce soir » chuchota Sonia à l'oreille de son frère.

Mais le lendemain, le robot n'était toujours pas là.

Une semaine s'écoula. Quand Sonia et Florian arrivaient à la maison, ils se précipitaient dans le couloir et ils exploraient le placard de l'aspirateur à trois moteurs ... Hélas Robusto avait bel et bien disparu !

« J'ai une idée, dit Florian un matin. On va préparer des petites affiches qu'on mettra dans les magasins.

— D'accord ! » approuva Sonia.

Ils rédigèrent aussitôt une série de cartes :

et ils allèrent les porter chez les commerçants du quartier.

Mais le robot ne répondit pas. Il ne donna pas le moindre signe de vie. Où était-il donc ?

Il avait décidé de faire le tour du monde et de mener la belle vie.

Plus de chambre à ranger car il vivait en plein air.

Plus de draps et d'édredon à tirer ; il dormait dans un duvet.

Plus de couvert à mettre ni de vaisselle à laver ; il mangeait avec ses doigts de fer des pilules spéciales-robots.

De temps en temps, Robusto se sentait un peu triste. Il regrettait ses amis Sonia et Florian. Mais il était si loin, là-bas en Amérique, presque de l'autre côté de la terre, qu'il lui faudrait encore marcher pendant de nombreuses semaines avant de retrouver les deux enfants.

Robusto, reviens!

Robusto, tu nous manques trop!

Robusto, on t'aidera, c'est promis!

Robusto, on t'attend!

Une nuit, pendant que Robusto dormait à la belle étoile, des gens s'approchèrent sur la pointe des pieds et s'emparèrent de lui en criant :

« Regardez ce qu'on a trouvé ! Regardez ce qu'on a trouvé !

— Laissez-moi tranquille ! » hurla le robot.

Il voulut s'enfuir mais dix hommes le ficelèrent solidement et le pauvre Robusto ne put plus bouger.

On le frotta, on le briqua pour le faire briller.

On nettoya sa casquette à triple antenne.

On graissa tous les boutons colorés qu'il avait autour du cou.

On versa de l'huile sur ses ressorts dorés.

Puis on le plaça dans un bloc de verre, une vitrine incassable, que le plus fort de tous les robots ne pourrait jamais briser.

Enfin on installa le bloc de verre dans un musée et tous les jours, des milliers de visiteurs vinrent l'admirer :

« Incroyable ! C'est un robot ! Un vrai, pas un faux ! »

D'abord, Robusto tambourina contre les parois de sa prison ...

Il gesticula comme un fou ...

Il bondit et rebondit dans tous les sens sur ses ressorts ...

Il cria, il pleura, il supplia :

« Je suis un robot libre ! Je veux retourner dans mon pays ! »

Mais les spectateurs applaudissaient, croyant qu'il s'agissait d'un numéro de cirque, et personne ne prêtait attention à ce qu'il disait.

Alors, Robusto perdit tout espoir de sortir un jour de cette cage en verre. Il n'articula plus un mot.

Il ne bougea plus et il ne fit plus jamais clignoter ses boutons dorés.

Quelques mois plus tard, le contenu du musée fut transporté vers une direction inconnue. On empila les énormes caisses dans les cales d'un bateau gigantesque. Et un long voyage sur la mer commença.

« Nous quittons l'Amérique, lui avait dit le directeur du musée. Tu vas participer à une célèbre exposition de l'autre côté de l'océan Atlantique.

— Je m'en moque » avait soupiré Robusto sans même entrouvrir les yeux.

Le voyage dura longtemps. Quand le robot accepta enfin de regarder autour de lui, il comprit qu'il était simplement dans un autre musée où d'autres visiteurs criaient encore :

« Incroyable ! C'est un robot ! Un vrai, pas un faux ! »

Soudain, une voix lui fit dresser les antennes sur la tête :

« C'est Robusto ! »

Le robot se retourna : à quelques pas de sa prison se tenaient Sonia et Florian.

Les deux enfants attendirent que les visiteurs se soient un peu éloignés … et ils s'approchèrent du bloc de verre.

« Tu nous as beaucoup manqué, chuchota Florian. Comment peut-on te sortir de là ?

— Où se trouve la clef pour ouvrir la vitrine ? » ajouta Sonia à voix basse.

Robusto montra un gardien du bout du doigt, tout en hochant la tête :

« La clef se trouve dans la poche intérieure de la veste de ce gros bonhomme. Vous n'arriverez jamais à l'attraper ...

— C'est ce qu'on verra ! » décida Sonia.

Florian fit aussitôt le guet. Sa sœur se dirigea vers le gardien du musée. Pendant que des visiteurs demandaient des renseignements au gardien attentif, Sonia glissa discrètement la main dans la poche intérieure ... et elle en ressortit une clef minuscule.

« Elle a réussi, soupira Florian.

— Elle a réussi, » répéta Robusto très ému.

La petite fille fit le tour de la vitrine ; elle introduisit la clef dans la serrure et elle ouvrit la porte de verre.

Robusto sortit aussitôt de sa prison et il suivit ses deux amis.

« Le robot s'enfuit ! Rattrapez-le ! Le robot s'enfuit ! » hurla le gardien.

Les visiteurs du musée se ruèrent vers la sortie, se cognant les uns aux autres ... et répétant :

« Le robot s'enfuit ! Rapportez-le ! Le gardien s'enfuit ! Ligotez-le ! Le gardien revient ! Robotez-le ! »

Dès qu'ils furent dans la rue, Sonia et Florian bondirent sur le dos de Robusto qui fila à toute vitesse, dépassant les motos, doublant les camions et les autos ... bondissant de tous ses ressorts pour éviter les croisements et les embouteillages.

Enfin le robot se retrouva dans la chambre des deux enfants et il fut très surpris de la trouver toute rangée.

« On a appris, expliqua Sonia.

— Ce n'est pas si compliqué ! » ajouta Florian en riant.

Alors Robusto sourit doucement, puis il se glissa avec délices tout au fond du placard du couloir, juste derrière l'aspirateur à trois moteurs ... et il s'endormit sans un bruit.

Le prince Boudechou

Connaissez-vous le prince Boudechou ? Il vit dans le château de son père, le roi Bigorno, et de sa mère, la reine Coquillette.

Ce matin, Boudechou se réveille de très mauvaise humeur.

Il attrape son tout-doux : c'est une petite grenouille en peluche verte et rose, qui fait « coa coa » quand on la retourne.

« Vilain tout-doux ! J'ai pas envie de te voir ! » crie Boudechou.

Et vlan ! Il l'envoie voltiger jusqu'au plafond : bing ! Coa coa ! La pauvre grenouille retombe sur le plancher …

À ce moment-là, Boudechou entend des pas. Vite, il se glisse sous sa couverture et il fait semblant de dormir.

Tap tap tap ... Qui arrive à petits pas ? C'est la reine Coquillette, coiffée de sa couronne brillante.

« Boudechou ! Debout ! Il est l'heure de te lever ! »

Mais Boudechou fait semblant de ronfler : rrron ...

« Boudechou ! Debout ! Je sais bien que tu es réveillé ! » dit la reine.

Boudechou entrouvre un œil et il bâille longuement.

« Bonjour mon petit prince ; tu as bien dormi ? demande la reine.

— Non ...

— Tu ne me dis pas bonjour ce matin ?

— Non ...

— Que se passe-t-il ? Tu as l'air de bien mauvaise humeur ?

— Non ... »

La reine Coquillette soupire et elle s'éloigne :

« À tout à l'heure, mon petit prince ! »

Dès que la reine est partie, Boudechou saute de son lit. La reine a posé ses vêtements sur le fauteuil doré. Mais Boudechou préfère aller sur la pointe des pieds jusqu'à la grande armoire de ses parents ...

Il sort les bottes fourrées du roi Bigorno, une chemise brodée de la reine Coquillette. Il noue autour de son cou un long voile d'argent et pose sur sa tête une couronne de pierres précieuses :

« Et voilà ! C'est moi le nouveau roi ! Maintenant, c'est moi qui commande ! »

En tapant du pied, Boudechou descend le grand escalier, TAP TAP TAP ! et il dit d'une grosse voix :

« Saluez-moi ! Saluez-moi ! »

Quelqu'un vient de l'apercevoir ! C'est le roi Bigorno. Oh oh ! Il fronce les sourcils ! Il n'a pas l'air content du tout :

« Boudechou ! Je t'avais interdit de fouiller dans l'armoire ! Boudechou, viens ici tout de suite ! »

Le petit prince lui tire la langue et il essaie de s'enfuir ... mais le roi le rattrape facilement :

« Un prince qui désobéit et qui tire la langue ? Tu vas aller faire un tour au fond de l'armoire ! »

Le roi mécontent porte Boudechou là-haut dans le couloir. Il le pose dans l'armoire et il ferme la porte à clef, en grondant :

« Tu m'appelleras quand tu seras de meilleure humeur ! »

Le petit prince crie, hurle, dit les pires gros mots de la terre :

« Crotte de bique ! Sorcière à

barbiche ! Serpent pourri ! Pomme de crapaud ! »

Boum et reboum ! Il donne des coups de pied dans la porte de l'armoire ... Mais celle-ci ne s'ouvre pas !

Enfin, Boudechou en a assez. Il finit par s'asseoir en pleurnichant, entre les bottes du roi et les souliers de la reine.

« Mon tout-doux ! Je veux mon tout-doux ! » pleurniche-t-il.

Le roi et la reine l'écoutent derrière la porte. Le roi Bigorno tourne doucement la clef dans la serrure ...

Boudechou bondit aussitôt dans le couloir et il saute dans les bras de la reine Coquillette.

« Bonjour mon petit prince ! dit-elle doucement.

— Bonjour maman ! Bonjour papa !

— Bonjour mon petit prince ! dit le roi Bigorno. Mais où est donc passée cette vilaine mauvaise humeur ?

— Cachée au fond de l'armoire ... » répond le petit garçon.

Le roi et la reine accompagnent Boudechou jusqu'à sa chambre.

Quand il sera habillé, tous les trois iront se promener dans le jardin du château ...

« Avec mon tout-doux ! »

... Sans oublier, bien sûr, la petite grenouille verte et rose : coa coa coa coa !

Le héron

Cette histoire se passe dans un lointain pays : la Chine.

Il y a très longtemps vivait un jeune homme pauvre qui s'appelait Wan.

Chaque jour, Wan allait boire une tasse de thé dans une auberge près de chez lui. Il n'avait jamais de pièce pour payer, mais il laissait souvent un dessin à l'aubergiste pour le remercier.

Un matin de printemps, Wan dit à l'aubergiste :

« Je vais partir en voyage. Vous m'avez toujours bien accueilli. C'est pourquoi je veux vous donner quelque chose. »

Wan sortit de sa poche un pinceau et un petit pot d'encre de Chine. Puis il dessina sur le mur de l'auberge un grand oiseau, un magnifique héron.

L'aubergiste et les clients n'en revenaient pas : on aurait dit un véritable oiseau, prêt à s'envoler.

Et Wan ajouta :

« Quand tu frapperas trois fois dans tes mains, le héron descendra du mur et il dansera sur le sol. Mais attention, l'oiseau ne devra jamais danser pour un seul homme. T'en souviendras-tu ?

— Évidemment ! » dit l'aubergiste.

Wan frappa trois fois dans ses mains. Le héron releva la tête. Il descendit lentement du mur et se posa sur le sol. Puis il se mit à danser merveilleusement, sifflant du bout du bec un petit air joyeux.

Enfin, il salua et retourna à sa place.

« C'est extraordinaire ! s'écria l'aubergiste.

— Extraordinaire ! » répétèrent les clients.

Alors Wan fit demi-tour et il partit pour un long voyage.

À partir de ce jour-là, l'auberge fut toujours pleine. Tous les habitants de la région voulaient voir danser le héron.

Quelques mois plus tard, un gros prince entra dans l'auberge. Il s'approcha de l'aubergiste et il ordonna d'une voix dure :

« Je veux voir l'oiseau peint.

— Asseyez-vous, dit l'aubergiste.

J'attends encore quelques clients et je vais le faire danser.

— Non ! gronda le prince. Je veux qu'il danse pour moi tout seul. »

L'aubergiste hocha la tête :

« C'est impossible ! Celui qui l'a dessiné l'a interdit.

— Je le veux ! » répéta le prince en jetant un sac d'or sur la table.

L'aubergiste tâta les pièces d'or et il finit par accepter. Il fit sortir tous les clients de l'auberge, malgré leurs protestations.

Ensuite, il frappa trois fois dans ses mains.

Sur le mur, le héron agita faiblement les ailes. Il se posa sur le sol et il siffla du bout du bec un air très

triste. Puis il fit quelques pas et ne bougea plus.

« Danse ! cria le prince. Danse encore ! »

Mais l'oiseau resta immobile comme une statue.

À ce moment-là, la porte de l'auberge s'ouvrit. C'était le jeune homme qui revenait de voyage. Il s'approcha du héron et chuchota :

« Suis-moi ! »

Aussitôt l'oiseau sautilla derrière Wan.

Et tous les deux quittèrent l'auberge pour toujours.

L'aubergiste regretta d'avoir désobéi mais il était trop tard.

Depuis ce jour-là, on entend parfois un petit air joyeux qui résonne dans les collines et certaines nuits, on aperçoit un jeune homme suivi d'un grand oiseau qui danse au clair de la lune.

Est-ce la vérité ou est-ce un rêve ? Ça personne ne le sait.

Le  lutin Grocoquin

Grocoquin est un drôle de lutin. Il a creusé sa maison dans une citrouille : une vraie maison avec une porte, deux fenêtres et même une cheminée.

Grocoquin est un petit lutin, rond comme une boule, avec une longue barbe rouge. Quand il court, c'est embêtant : il se prend les pieds dedans ! PATATRAS : il se retrouve par terre et il grogne :

« Floki flocon colimaçon ! Je me suis fait mal au derrière ! »

Ce matin, Grocoquin décide d'aller faire un tour en forêt. Il saute dans sa voiture jaune à pois rouges et BRRROUM ! il s'éloigne en sifflotant.

Tiens, qui l'attend au bord du chemin ?

« Ohé, Grocoquin ! »

Mais c'est Pic le poussin :

« Piou piou, emmène-moi faire un tour s'il te plaît !

— Floki flocon colimaçon, monte vite et partons ! » dit le lutin.

Le poussin saute dans la voiture : PIOU ! Grocoquin appuie une fois sur son klaxon : TUT ! et il poursuit sa route.

Tiens, qui l'attend au bord du chemin ?

« Ohé, Grocoquin ! »

Mais c'est le chat Saucisson :

« Miaou miaou, emmène-moi faire un tour s'il te plaît ! »

Grocoquin est un peu inquiet :

« Oh oh ! Promets d'abord de ne pas faire de mal à Pic le poussin !

— Miaou miaou, c'est promis !

— Floki flocon colimaçon, monte vite et partons ! » dit le lutin.

Le chat saute dans la voiture : MIAOU ! Grocoquin appuie deux fois sur son klaxon : TUT TUT ! et la voiture glisse dans la descente.

Tiens, qui l'attend encore au bord du chemin ?

« Ohé, Grocoquin ! »

Mais c'est le chien Mandarin :

« Ouah ouah, emmène-moi faire un tour s'il te plaît ! »

Grocoquin est très inquiet :

« Oh oh ! Promets d'abord de ne pas faire de mal au chat Saucisson !

— Ouah ouah ! C'est promis !

— Floki flocon colimaçon, monte vite et partons ! » dit le lutin.

Le gros chien saute dans la voiture : OUAH ! Grocoquin appuie trois fois sur son klaxon : TUT TUT TUT ! et la voiture accélère.

Tiens, il y a encore quelqu'un au bord du chemin … C'est Pan l'éléphant :

« Ohé, Grocoquin ! Emmène-moi faire un tour s'il te plaît ! »

Dans la voiture, tout le monde proteste :

« Piou piou, il est fou !

— Miaou, complètement fou !

— Ouah ouah ! Je n'en veux pas !

— Floki flocon, pas question ! »

Pan l'éléphant n'est pas content : il tape de la patte et il agite sa trompe. Alors Grocoquin réfléchit un moment :

« Hum … D'accord, mais fais très attention ! »

Pan pose doucement une patte dans la voiture, puis deux, puis trois … mais à la quatrième patte : CRAC ! la voiture se casse !

Grocoquin est très en colère :

« Catastrophe ! Comment allons-nous faire maintenant ? »

Heureusement, Pan a une bonne idée :

« Je vais vous porter ! » propose-t-il.

Avec sa trompe, l'éléphant soulève la voiture et tous ses passagers … et il les place sur son dos.

« Vous êtes contents ? demande-t-il.

— Oh oui ! piaille Pic le poussin.

— Oh oui ! miaule le chat Saucisson.

— Oh oui ! » aboie le chien Mandarin.

Même le lutin Grocoquin est ravi :

« En avant Pan ! En avant ! Floki flocon colimaçon, quelle expédition ! »

À la fin de la journée, Pan l'éléphant a marché, marché si longtemps qu'il se sent très fatigué.

« Je vais vous raccompagner chez vous ! dit-il.

— D'accord ! » fait Grocoquin.

Pan dépose d'abord le chien Mandarin, puis le chat Saucisson et enfin, Pic le poussin.

Il fait presque nuit quand Grocoquin se retrouve chez lui. Il se tourne vers l'éléphant gris et il lui propose :

« Si tu veux, reste dormir à côté de ma citrouille.

— Bonne idée » dit Pan l'éléphant.

Pan s'allonge doucement, en faisant bien attention de ne pas écraser la maison du lutin à la barbe rouge. « Bonne nuit, dit l'éléphant.

— Bonne nuit, répond Grocoquin. Bonne nuit et à demain ! »

Le biberon de mon petit frère

Moi je m'appelle Valentin et je vais vous raconter l'histoire du biberon de mon petit frère Florent.

C'est un biberon en plastique, je vous le dis tout de suite ! Un biberon sur lequel sont tracées les lettres : F-L-O-R-E-N-T = Florent !

Un jour, ce biberon tombe par la fenêtre. Mais pour une fois, ce n'est pas moi qui l'avais jeté ... Promis, juré ! Le biberon tombe tombe ... et PAF ! il atterrit sur la pelouse, juste au pied de l'immeuble.

Qui l'a pris ? Qui le prendra ?
Le biberon n'est plus là !

Ma copine Céline passe justement à quelques pas de là, et elle s'écrie :
« Oh ! Un biberon : c'est super pour ma poupée ! »

Céline ramasse le biberon en plastique et le dépose dans sa poussette, à côté de sa poupée. Puis elle s'en va visiter le zoo avec sa tante Catherine et son affreuse cousine Julie-la-chipie.

Arrivées au zoo, toutes les trois s'arrêtent devant un large grillage pour observer de gros chameaux. Mais que fait donc Julie-la-chipie ?

Pendant que personne ne la regarde, elle prend le biberon dans la poussette et vlan ! elle le jette derrière un buisson.

Qui l'a pris ? Qui le prendra ?
Le biberon n'est plus là !

Quelqu'un a vu le biberon : c'est un grand éléphant gris. Il s'approche à pas lourds et du bout de la trompe, il saisit l'objet bizarre :

« Qu'est-ce que c'est ? s'étonne-t-il. Est-ce que je peux le manger ?

— Pas du tout ! se moque sa voisine, une girafe au long cou.

— C'est un jouet ? demande l'éléphant.

— Ça m'étonnerait ! s'amuse la girafe. Je crois plutôt que c'est une fusée ! »

Une fusée ? L'éléphant fait aussitôt tourner sa trompe et HOP ! il lance la fusée-biberon le plus loin possible.

Qui l'a pris ? Qui le prendra ?
Le biberon n'est plus là !

Bing ! Le biberon en plastique se pose sur la tête de Miss Lili, la plus belle autruche du zoo.

« Oh oh ! s'écrie-t-elle. Un cadeau pour moi ? C'est fou, c'est chou ! »

Et GLUPS ! elle avale le biberon d'un seul coup.

Lili se secoue d'un côté, de l'autre ... Hélas, rien à faire : le biberon reste coincé dans son cou !

Qui l'a pris ? Qui le prendra ?
Le biberon est bien là !

Affolé, le gardien court chercher le directeur du zoo, qui décide aussitôt :

« Il faut prévenir le vétérinaire au plus vite ! Il faut prévenir le vétérinaire au plus tôt ! »

Eh bien, vous le croirez si vous voulez : mais le vétérinaire, le docteur des animaux ... c'est mon père !

Il est arrivé aussitôt. Il a enfilé son bras dans le cou de l'autruche et qu'a-t-il retiré ? Un biberon en plastique, le biberon de son propre fils Florent ... Il l'a tout de suite reconnu à cause des lettres qui étaient tracées dessus, mais il n'a jamais compris ni pourquoi ni comment, une autruche du zoo utilisait le biberon de Florent.

Dans l'antre de la sorcière

Au premier étage de l'immeuble voisin vit une vieille dame au nez crochu. Personne ne lui a jamais parlé. Personne n'est jamais allé chez elle. On raconte que c'est une terrible sorcière.

Chaque soir, Pauline grimpe sur un escabeau, armée d'une paire de jumelles. Du haut de son perchoir, elle observe l'immeuble voisin.

Dans l'appartement de la sorcière, une silhouette noire se déplace derrière les rideaux. Que fait-elle donc ? Est-elle en train de préparer une horrible potion ? Ou bien cuisine-t-elle pour son dîner, des queues de crocodiles farcies aux champignons ?

Tout à coup, la silhouette disparaît et toutes les lumières s'éteignent ...

Une minute plus tard, la vieille dame sort de l'immeuble, en portant un gros sac.

Pauline hésite un peu : c'est peut-être dangereux d'aller dans l'antre de la sorcière ? Mais soudain, elle prend une décision :

« Qui ne risque rien n'a rien, comme dirait mon oncle Mathurin ! »

Hop ! Elle saute sur le plancher, elle pose les jumelles et attrape une lampe de poche ... Puis elle sort de chez elle sur la pointe des pieds.

Personne dans la rue ? Personne dans l'escalier de l'immeuble voisin ?

Pauline se retrouve peu après, devant la porte de l'appartement du premier étage.

Et que voit-elle sur la porte ? Quelques mots fraîchement peints :

gare aux curieux ! s'ils disparaissent ... tant pis pour eux !

Pauline hoche la tête et elle tourne la poignée en murmurant :

« Pas de danger ! Je ne suis pas curieuse … Je veux seulement débarrasser la terre d'une terrible sorcière. »

Elle fait un pas en avant et à l'aide de sa lampe de poche, elle inspecte l'appartement … Incroyable ! Une armure de chevalier se dresse au milieu de la pièce. Une tête de dragon à plumes est accrochée sur le mur. Une énorme araignée en papier mâché se balance, suspendue à un fil …

La petite fille s'immobilise, à l'affût du moindre bruit : TIC TAC TIC TAC … Catastrophe ! Une bombe à retardement ! Pauline fait demi-tour, puis elle soupire :

« Que je suis bête ! C'est une pendule minuscule …

— Minuscule minuscule minuscule », répète une voix.

Pauline se retourne : un perroquet la regarde, l'air moqueur.

« C'est bien l'appartement d'une sorcière ? lui demande-t-elle.

— Sorcière sorcière sorcière, répète le perroquet.

— J'en étais sûre », chuchote Pauline inquiète.

Qui ne risque rien n'a rien, mais qui risque tout disparaît parfois dans un trou ! Et Pauline se dirige lentement vers la porte d'entrée :

« Je ferais mieux de partir avant qu'il ne soit trop tard … »

Au même instant, deux éclairs scintillent dans un coin de la pièce : deux yeux ronds et fluorescents ! GRRR … Un grognement se fait entendre.

PAN PAN PAN … Et un bruit de pas retentit dans l'escalier.

Calamité ! La sorcière est de retour ! Où aller ? Où se cacher ?

Vite, Pauline entrouvre un placard et elle se glisse à l'intérieur.

Ouf … Il était temps ! La vieille dame au nez crochu entre dans la pièce et elle allume un grand lampadaire.

« Bizarre, bizarre … dit-elle. Pourquoi mon chat grogne-t-il comme ça ?

— Comme ça ça ça ! répète le perroquet.

— Bizarre, bizarre … Je sens une odeur que je ne connais pas.

— Connais pas papa ! répète le perroquet.

— Bizarre, bizarre … J'ai l'impression que quelqu'un est entré chez moi, dit la vieille dame en colère. Pourquoi ce placard est-il entrouvert ?

— Entrouvert ver de terre ! » ajoute le perroquet.

Furieuse, la vieille dame se précipite vers le placard et elle regarde

à l'intérieur : une petite fille est blottie sous une pile de pull-overs.

« Que fais-tu là ? » crie la vieille dame.

Pauline tremble tellement qu'elle n'arrive pas à prononcer un mot.

« Sors de là ! ordonne la vieille dame en la tirant par la manche.

— Je je je ne recoco ... bafouille Pauline.

— Recoco, c'est moi Coco ! s'amuse le perroquet.

— Mama madame la soso, la sorcière ... Je ne recommencerai plus, c'est propro, c'est promis », bredouille Pauline, terrifiée.

À ces mots, la vieille dame se calme aussitôt. Puis elle se met à rire, à rire si fort que l'énorme araignée en tombe sur le plancher.

Pauline ferme les yeux. Elle s'imagine déjà ficelée dans une marmite, entourée de carottes et de petits oignons ...

Pourtant, la vieille dame lui demande d'une voix douce :

« Qu'est-ce qui te fait croire que je suis une sorcière ? Mon nez crochu ?

— Heu oui, répond Pauline.

— Mon dragon à plumes et mon araignée en papier mâché ?

— Heu oui, répond Pauline.

— Mon perroquet bavard et mon chat aux yeux fluorescents ? »

Pauline fait oui de la tête et la

vieille dame rit de plus belle. Puis elle entraîne la petite fille vers une autre pièce, emplie de bouts de carton, de chutes de tissu, de plumes de toutes les couleurs … Et elle explique :

« Voici mon atelier ! Je fabrique des décors et du matériel pour le cinéma et la télévision ! Par exemple, la tête de dragon servira au prochain film du célèbre metteur en scène Jean-Jules Ona, et l'araignée à une série télévisée « La Régnée a encore frappé ! ».

Pauline n'en revient pas. Honteuse, elle ramasse sa lampe de poche et elle s'éloigne en disant :

« Excusez-moi, madame la … Heu, madame tout court. »

Mais la vieille dame lui fait signe de s'asseoir et elle ajoute avec un large sourire :

« Je ne m'appelle pas madame Toucourt, mais Marie Erèicros. Je vais te faire goûter un gâteau de ma fabrication … Et je te jure qu'il n'est pas empoisonné ! »

Depuis ce jour-là, Pauline rend souvent visite à la vieille dame au nez crochu. Personne ne dit plus que madame Erèicros est une terrible sorcière.

Pourtant, certains s'inquiètent quelquefois … car Erèicros* est un drôle de nom, tu ne trouves pas ?

* Si on écrit ERÈICROS en commençant par la dernière lettre, on obtient le mot SORCIÈRE !

TABLE